미션과 예시로 배우는 글쓰기 커리큘럼

40일 미션!

어른의 글쓰기

40일 미션! 어른의 글쓰기
미션과 예시로 배우는 글쓰기 커리큘럼

발 행 | 2024년 9월 10일
저 자 | 장윤영
펴낸이 | 한건희
펴낸곳 | 주식회사 부크크
출판사등록 | 2014.07.15(제2014-16호)
주 소 | 서울특별시 금천구 가산디지털1로 119 SK트윈타워 A동 305호
전 화 | 1670-8316
이메일 | info@bookk.co.kr
ISBN | 979-11-419-5515-1

www.bookk.co.kr

미션과 예시로 배우는 글쓰기 커리큘럼

40일 미션!
어른의 글쓰기

장윤영 지음

CONTENT

미션과 예시로 배우는 글쓰기 커리큘럼

얼마 전 쉽고 빠르게 배우는 글쓰기 커리큘럼 『50일 완성! 메모로 시작하는 글쓰기』 출간 작업을 하며 이미 『어른의 글쓰기』를 준비했습니다. 사실 『40일 미션! 어른의 글쓰기』 원고가 있었는데 이보다 더 쉬운 초보자를 위한 글쓰기 책부터 내려고 기다렸다는 게 맞습니다. 『50일 완성! 메모로 시작하는 글쓰기』는 메모지에 간단하게 메모하는 수준의 글쓰기라면 『40일 미션! 어른의 글쓰기』는 이의 연장선으로 석 줄, 다섯 줄 글쓰기를 유도합니다. 더불어 미션을 좀 더 풍성하게 제공합니다. 미션을 안내하는 글이 한 편의 에세이고, 미션 예시가 또 다른 에세이입니다. 여러분이 신나게 참여하시라고 미션 글을 좀 더 캐주얼하고 유쾌하게 제시했습니다.

미약하게나마 글 쓰는 사람이 되겠다고 결심하고 블로그나 브런치에 도전하고 첫걸음을 내딛습니다. 어쩌면 그동안 생각만 했던 다양한 주제가 봇물 터지듯 쏟아져 막힘없이 글을 썼는지도 모르겠습니다. 저도 그랬습니다. 처음 브런치 작가가 되고 2년 동안 거의 매일 글 썼습니다. 이제 7년 차가 되어가니 글감을 찾가 고민하게 됩니다. 그래서 다양한 경험을 하려고 이곳저곳을 기웃거리고, 여행도 다닙니다. 내가 원하는 글감으로 글쓰는 것도 좋지만 때로는 글감이 주어져 쓰는 글이 더 좋은 결과물을 만들어 내기도 하더군요. 그래서 여러분에게, 어른으로 현재를 살아가는 분께 글감을 주고 싶었습니다.

40일 동안 미션을 하나씩 수행하면, 여러분의 과거, 현재, 미래를 정리하게 됩니다. 처음엔 나의 정체성을 정의하는 것으로 시작하는 간단한 미션을 제공해 드립니다. 글만 쓰는 게 아니라, 글을 쓰기 위한 글감을 드리기 위해 행동하는 미션도 드려요. 때로는 잡지도 찾아 읽어야 하고 나에게 작은 선물도 합니다. 죽음에 대해 생각할 시간도 드리고요, 돈 100만 로또를 받는 행운도 생겨납니다. 시도 써야 하고요, 문장 패러디도 하는 다양한 글쓰기 활동을 경험하게 됩니다.

처음에 정체성으로 시작했는데요, 마지막 미션으로 '좋은 글을 쓰려면?'의 미션 예시는 여러분에게 좋은 글을 쓰는 방법을 정체성으로 마무리합니다. 미션을 수행하며 글쓰기 연습하는 것도 좋고요, 어려우시면 미션 예시만 읽으셔도 도움이 될 거라 믿습니다. 차례대로 미션을 수행하는 것도 좋고, 마음이 끌리는 대로 원하는 미션만 골라 적용해 보셔도 좋겠습니다. 아무도 강요하지 않아요. 여러분 스스로 결정하고, 스스로 즐기시길 바랍니다. 누가뭐라고 해도 글쓰기를 즐기는 게 가장 중요하니까요. 여러분이 40일 미션을 수행하는 동안 저는 『어른의 글쓰기 2』 작업으로 함께 즐거운 글쓰기를 누리겠습니다.

1일. 나의 정체성

여러분은 이제 글을 쓰는 사람이 됐습니다. 이제 어제와 다른 여러분의 새로운 인생을 위해 부캐 하나를 추가한 것입니다. 자, 부캐에게 어울리는 정체성을 만들어봅시다. 여러분은 이제 글쓰기로 새 인생을 살게 될 것입니다. 아주 작은 시작이지만 여러분의 인생에는 어마어마한 변화가 시작될 것입니다.

의심하지 말아요. 변화는 아주 작은 것으로부터 시작하니까요. 그러니 여러분의 마음을 믿으세요. 그 마음을 담은 각오 한 줄을 써봅니다. 각오 한 줄엔 미래에 희망하는 정체성을 담아봅니다.

미래는 여러분의 최종 목적지가 됩니다. 목적지가 분명해야 방향이 흔들리지 않습니다. 구체적인 문장이면 더 좋습니다. 그리고 그 다짐을 뒷받침할 구체적인 습관을 석 줄로 써 주세요.

미션: 여러분의 각오 한 줄 + 장착해야 할 구체적인 습관 3가지를 써 주세요

미션 예제:

각오 한 줄 (한 줄만 씁니다.)

1. 나는 오늘부터 블로그 작가가 된다
2. 나는 매일 글을 쓰는 사람이다.
3. 나는 30일 안에 브런치 작가가 될 것이다.
4. 나는 출간 작가가 될 것이다.
5. 나는 공모전에서 수상하는 사람이 될 것이다.
6. 나는 꾸준히 글 쓰고 책 쓰기에 도전할 것이다.

석 줄로 구체적인 습관 정하기

1. 블로그를 만든다.
2. 매일 새벽 6시에 기상하여 10분 동안 의식의 흐름대로 글을 쓴다.
3. 글을 잘 쓰기 위해 글쓰기 책을 하루 10분씩 읽는다.

1. 매일 글 쓸 내용을 생각한다.
2. 매일 독서를 한다.
3. 매일 조금씩 쓴다.

2일. 여러분이 누군지 소개해 주세요

자기소개서 많이 써보셨죠? 음, 저도 써보긴 했습니다만, 자신 없는 분야 중의 하나입니다. 흔하디흔한 자기소개서 말고 나를 색다르게 표현해 보는 방법이 없을까요? 2일차에 한번 시도해 봅시다. 욕심내지 않습니다. 오늘 겨우 2일 차입니다. 아직 가야 할 길이 멉니다. 급할수록 차근차근한 단계씩 밟아나가는 게 먼저입니다.

우리, 순리대로 갑시다. 지금은 많이 쓰는 것보다 조금씩 자주 쓰면서 '쓰기 근육'을 기르는 것이 더 중요합니다. 이제 시작합니다.

여러분이 좋아하는(아끼는) 물건을 하나 찾아봅니다. 이왕이면 그 물건이 여러분을 대표하는 상징이었으면 좋겠습니다. 그리고 그 물건에 대해 깊이 생각하고 느낌을 써 봅니다. 그 물건을 만나게 된 계기, 에피소드, 나의 태도, 호기심 등을 생각해 봅니다. 그 물건에 대해 석 줄 이하로 써 주세요. 물건에 관해 쓰면 우리는 당신이 누구인지 잘 알게 될 것입니다.

미션: 여러분이 좋아하는 물건 한 가지를 떠올려 보세요

그 물건에 대해 석 줄 이하로 씁니다.

미션 예제: 물건으로 나를 소개하기

나는 찹쌀도넛 애호가다. 외근을 나갔다, 집에 일찍 들어오는 날마다 꼭 챙기는 편이다. 소파에 길게 앉아 찹쌀도넛 하나를 입에 가득 베어 물면, 설탕 가루와 찐득한 단팥, 촉촉한 껍질이 입속에서 한 덩어리로 반죽이 된다. 그러다, 스르르 잠이 들곤 한다. 안 되겠다. 내일도 조퇴해야겠다.

참고 글: 『무라카미 하루키 잡문집』 중 <자기란 무엇인가 혹은 맛있는 굴튀김 먹는 법>

3일. 자존감 올리기

오늘은 여러분의 자존감을 점검하는 시간을 가져 보겠습니다. 글쓰기는 어쩌면 여러분이 잃어버렸을지도 모르는 자존감의 회복과 내적 치유를 경험하게 한다고 합니다. 자존감을 높이려면 인생의 경험을 글로 쓰라, 는 말도 있습니다. 부정적인 경험조차 글로 표현하게 되면 의식적으로 부정적인 경험을 극복하려는 움직임이 마음에서 시작되기 때문입니다.

우울증 치료제 프로젝트보다 100배의 효과가 있다는 글쓰기. 글쓰기야말로 자존감을 올려주는 명약일지도 모르겠습니다. 글을 쓰는 행위가 혹시 사라졌을지도 모를 여러분의 자존감에 다시 생명을 불어넣는 기폭제가 되길 소망합니다.

이번 과제는 여러분의 자존감을 올려주는 단어 3가지를 떠올려봅니다. 떠오르지 않는다면 네이버 사전이나 네이버 기사에서 자존감과 관련된 단어 3가지를 찾아봅니다.

그 3가지 중에서 단어 하나를 고릅니다. 그 단어에서 연상되는 느낌을 석 줄로 써 주세요. 또는 자신을 셀프 칭찬해봅니다.

미션: 여러분의 자존감을 올려주는 단어 3가지 + 3가지 중에서 단어 하나를 고릅니다. 그 단어에서 연상되는 느낌 석 줄을 써 주세요

미션 예제: 자존감을 올려주는 단어 3가지
1. 칭찬
2. 긍정
3. 믿음

단어에서 연상되는 느낌

나는 글쓰기 모임을 리드하는 사람으로서 문우들에게 늘 따뜻하게 댓글을 달려고 노력하는 편이다. 따뜻한 말도 중요하지만, 모호한 칭찬보다 한 가지 이상의 장점을 찾아내어서 구체적인 칭찬을 남길 예정이다. 칭찬이 문우들의 필력 향상에 반드시 도움이 될 거라 믿으면서...

4일. 칭찬하기

오늘은 여러분의 하루를 돌아봅니다. 어떤 일이 있었나요?

신나고 즐거운 하루를 보내셨나요? 아니면 힘든 하루를 보냈나요? 어쨌든 어제보다 더 열심히 그리고 보람차게 사셨겠죠? 그래서 더 성장한 느낌도 들죠?

하루 동안 벌어진 일들을 돌아보고, 의미를 부여해 보는 건 어떨까요? 여러분은 현재 정해진 목적지로 꾸준하게 잘 향하고 있어요. 그러니 여러분에겐 지금 칭찬이 필요합니다.

칭찬은 여러분 스스로에게 하는 것입니다. 혹시, 오글오글하나요? 상관없습니다. 자신을 위한 일인데, 오글거리면 좀 어떻습니까?

오늘 여러분이 행동한 것 중 칭찬받을 만한 일을 찾고 아주 구체적으로 칭찬해 봅니다. 칭찬할 게 없다고요? 미션 안내를 집중해서 읽고 계시네요. 꾸준하게 여기까지 오셨네요. 충분히 칭찬받을 만합니다.

오늘은 분량을 약간 늘려서 다섯 줄 이하로 글을 써봅니다.

여러분을 칭찬하는 일이잖아요.

미션: 다섯 줄 이하로 여러분을 칭찬해 주세요.

미션 예제: 멘탈갑의 귀환

얼마 전에는 내가 나약하다고 느꼈다. 이미 내 안에서 사라졌다고 생각했던 다른 사람과 자꾸 비교하는 모습을 발견해서 당황스러웠다. 나만 바보 같고 정체하는 것 같아 두렵기도 했다. 그때마다 걷고 또 걷고 생각했다. 리듬을 타는 걸까? 최근에는 좀 단단해졌다. 잘될 거라는 희망도 가지고, 다른 사람은 다른 사람이고 나는 나라는 생각을 했다. 나를 대하는 타인의 불손한 행동도 허허하고 웃어넘겼다. 정말 난 괜찮았다. 멘탈갑으로 돌아온 나를 칭찬한다.

5일. 예술적 감성 회복하기

여러분의 내면에 숨겨진 예술적 감성을 회복하는 시간을 가져봅니다. 예술적 감성을 찾기 위해 어떤 활동을 펼치는 게 좋을까요?

저는 음악 듣는 것을 추천합니다. 오늘은 편안하게 쉬면서 음악 감상을 해봅니다. 다만, 같은 곡을 세 번 이상 반복해서 듣습니다. 들으며 일주일 동안 쌓인 스트레스를 풀어봅니다. 편안하게 앉아 눈을 감고 나를 힐링하는 시간을 가져봅니다.

오늘은 글을 쓰지 않습니다. 대신 글을 쓰기 위해 마음을 비우는 시간을 갖습니다. 만약 글을 쓰고 싶다면 음악을 듣고 어떤 감정을 느꼈는지 짧게 써주세요.

미션: 음악 감상하기

미션 예시: 올해의 연습곡 - 험한 세상 다리가 되어

그러니까 싱가포르에서 온 산드라의 조언에서 시작했다. 싱가포르 사람들이 영어를 잘하는 이유는 태어날 때부터 모국어와 영어로 동시에 노출되기 때문이란다. 영어를 공부로 여기지 않고 생활로 여기기 때문에 자연스럽게 흘러 들어온다고. 그래서 우리 영어 동아리 사람들에게 조언하길 그냥 영어를 삶으로 받아들이라고, 쉬운 방법의 하나로 팝송 부르는 걸 권했다.

가사를 음미하며 팝송을 부르다 보면 자연스럽게 가사를 외우게 되고 그게 자기도 모르게 영어로 나온다는 주장이었다. 그래서 2019년 그해 연말 팝송 콘테스트를 만들었다. 3개월 정도를 남겨두고 조쉬 그로반(Josh Groban)의 Believe를 매일 불렀다. 하루에 한 번 부르면 가사를 외울 거라는 기대로. (하지만 의도적으로 외우지 않으면 부르는 것만으로는 잘 외워지지는 않더라.) 믿기만 하면 이루어진다는 가사를 믿고 싶었다.

사실 난 거의 음치에 가깝다. 노래방 가는 걸 제일 싫어한다. 일생에 노래방 간 횟수가 10번이 안 될 거다. 그나마 이렇게 매일 한 번씩 팝송을 부르니 자신감이 조금 생겼다. 얼떨결에 노래방에 가도 한 곡은 제대로 부르겠다는… 2020년에는 무슨 곡으로 할까 고민하다 에바 캐시디(Eva Cassidy)의 Imagine으로 정했다. 가사를 음미하며 내 모습과 함께 상상의 나래를 펼쳤다. 혼자 지치고 외로울 때 힘이 되었다.

그리고 올해, 1월 1일부터 연습하기 시작한 곡은 좀 올드

하지만 사이먼과 가펑클(Simon & Garfunkel)의 험한 세상 다리가 되어(Bridge Over Troubled Water)다. 가사가 의미 있고 영어로 적용해서 사용하기에도 손색이 없다. 매일 한 번씩 부를 때마다 '난 누구의 다리가 되어 줄까?' 혹은 '이런 친구가 나에게 있음 좋겠다' 라는 생각을 한다. 노래가 나에게 다리로 다가온다. 난 누구에게 배로 다가갈까?

6일. 글 쓰는 환경 설정하기

새로운 한 주가 다시 시작했습니다. 한 주 동안 글 쓰느라 수고하셨습니다. 새로운 한 주도 또 열심히 글 쓰는 사람으로 살아봅시다.

오늘은 여러분의 글 쓰는 환경을 살펴봅니다. 작가들은 어떤 환경에서 글을 쓸까요? 글쎄요, 여러분과 크게 다르진 않을 것 같습니다.

먼저 환경을 점검해 봐요. 글을 쓰기 전에 번잡한 환경부터 정리하는 게 먼저입니다. 그래야 마음도 더불어 정리될 테니까요. 그러니, 여러분의 책상(또는 서재)을 글 쓰는 환경으로 꾸며봐요.

이 기회에 책상 주변을 깔끔하게 정리해 봅니다. 노트북이나 데스크탑도 점검해 보고 괜히 마우스와 키보드도 깨끗하게 닦아봅니다. 그리고 그 정리한 환경을 사진으로 남겨주세요. 정리하기 전과 후 어떤 느낌이 들었는지 석 줄로 써 주세요.

미션: 집필 환경을 정리하고 느낌을 써 주세요.

미션 예사:

먼지 쌓인 데스크탑을 털어내고 마우스와 키보드를 물수건으로 깨끗이 닦았다. 바탕화면에 어지럽게 널린 아이콘을 삭제하고 원고를 작성하기 위해 브런치의 글쓰기 버튼을 눌렀다. 글을 쓰기 위한 외적인 환경의 정비가 완벽하게 끝났다. 이제 열심히 쓰면 된다.

7일. 미래로 타임머신 여행을 떠나봐요

여러분은 얼떨결에 혹은 호기심에 이 책을 읽는지도 모르겠습니다. 커리큘럼대로 열심히 쓰고 있지만, 갑자기 현타? 아닌 현타가 오기도 합니다.

왜 글을 써야 하지? 글을 쓰는 목적이 무엇이었지? 시간이 지날수록 내가 왜 시작했는지, 그 이유를 문득 상실하기도 합니다. 목표를 상실하면 방향이 흔들립니다.

목표(타깃)가 불명확하면 이것저것을 자꾸만 건드려보게 되죠. 그러니 우리는 목표가 흔들리지 않도록 현재의 위치에서 '왜'에 주목할 필요가 있습니다.

여러분은 왜 글을 쓰게 됐을까요? 단순한 호기심 때문에? 꾸준한 습관을 들이고 싶어서? 자기 계발이라는 목표 때문에? 작가가 되고 싶어서? 돈을 벌고 싶어서? 만약 돈을 벌고 싶어서라면 다른 부업에 도전하는 게 더 좋겠습니다.

각자에게 다른 이유가 있을 겁니다. 그 이유는 달라도 모두에게 글쓰기라는 목표가 있었기에 여러분을 이곳에 오도록 만들었겠죠. 여러분은 지금, '글쓰기'라는 목표를 정하고 어려운 관문을 관통 중입니다. 다시 한번, 파이팅입니다!

글을 쓰면 앞으로 여러분들의 일상에 어떤 새로운 일, 새로운 가능성이 펼쳐지게 될까요? 눈을 감고 고요히 상상해 봅시다. 글 쓰는 사람(블로거?)으로 순수하게 남고 싶으신가요? 아니면 브런치 작가가 되고 싶으신가요? 나아가 책 쓰는 작가는 어떤가요? 내 이름으로 된 책을 내고 싶다거나, 어딘가에 기고하는 사람이 된다거나, 등단하고 싶다거나, 분명 구체적인 목표가 떠오를 겁니다. 단순하게 꾸준한 습관을 갖고 싶다는 분도 물론 계시겠지만요.

우리는 1일 차에 정체성을 결정해 봤습니다. 그 정체성에 걸맞은 목표를 달성했다고 가정해 보는 겁니다. 1년 후? 혹은 3년 후, 혹은 5년 후를 구체적으로 그려 보는 건 어떨까요?

1년 혹은 3년 혹은 5년 후, 여러분 모습을 상상해 주세요. 그리고 그 목표를 어떻게 달성했는지 상상해 봅니다. 여러분이 수행한 구체적인 노력을 다섯 줄 이하로 써 주세요.

미션: 목표 한 줄과 구체적인 실천 방안 3가지를 써 주세요.

미션 예시: 3년 후의 모습

시 쓰기 시작한 지 만 3년 만에 모 일보 신춘 문예에서 등단에 성공했다. 시 필사 모임에서 하루 한 편의 시를 필사하고 창작 수업에는 매주 한 편씩 시를 쓴 끝에 달성한 성과였다. 또한 기존에 입선한 시를 분석하고 신선한 단어와 문장을 내 시에 응용했다. 매일 시를 필사하지 않았거나 창작 수업에 참여하지 않았거나, 다른 사람에게 내 시에 대한 피드백을 받지 않았다면, 또한 3년 동안 문예지를 비롯한 신춘 문예에 도전하지 않았다면 이런 결과는 오지 않았을 것이다.

8일. 독서 일기를 써봐요

오늘은 일기를 써봅니다만 일기만 쓰면 너무 재미없으니까 '독서'라는 단어를 앞에 붙였습니다. 독서 일기는 말 그대로 독서 + 일기가 혼합된 형태의 글입니다. 독서 일기를 쓰라는데, 책을 읽지 않는다면 책을 읽는 게 우선이겠지만요. 책을 전혀 읽지 않으신다고요? 그렇다면 오늘 퇴근 후, 서점으로 달려갑시다. 정 여유가 없으면 전자책이라도 살펴봅시다. 그리고 책 한 권을 골라봅시다.

온라인 서점보다는 이왕이면 직접 서점에 방문하는 것을 추천합니다. 아날로그의 매력이란 게 아직 있으니까요. 지하철이든, 버스 안이든, 점심 먹은 후, 카페 안에서든 단 10분이라도 책에 시간을 투자해 봅시다. 마음에 와닿는 문장, 유달리 기억에 오래 남는 문장이 있나요? 그걸 메모해봅니다. 메모를 열심히 해두면 나중에 글감으로도 활용이 됩니다.

글을 쓰다 보면 글감이 부족하다는 탓을 하게 됩니다. 평상시 글감, 즉 메모를 충실히 해두면 그 말이 변명이라는 걸 알게 됩니다. 열심히 읽고 열심히 메모합시다.

이번 미션으로 책을 읽을 때마다 연필이나 형광펜으로 칠하는 아날로그적인 행동뿐만 아니라 의식적으로 기록하는 행동으로 습관을 바꿔보는 것입니다. 메모는 필사 또는 키보드로 타이핑해도 좋습니다. 다만 고른 문장을 여러 번 읽고 생각해 봅니다. 고른 문장에서 어떤 점을 느끼셨나요? 나의 생각(결론, 느낀 점)을 짧게 쓰고 삶에서 무엇을 실천해야 할지 아이디어를 떠올려보고 그것을 석 줄로 써 주세요.

미션: 책에서 찾은 문장에서 여러분의 짧은 느낌(생각) + 구체적인 실천 방안 3가지를 써 주세요.

미션 예시:

그의 주관주의는 칸트의 시간 이론뿐만 아니라 데카르트의 "나는 생각한다. 그러므로 존재한다"로 표현되는 인식론도 미리 보여준다. 그는 『독백』에서 이렇게 말한다. "알고 싶어 하는 너는 네가 누구인지 아느냐? 나는 네가 누구인지 안다. 너는 어디에서 왔는가? 나는 어디에서 왔는지 모른다. 너는 너 자신이 단일한 존재라 생각하는가, 아니면 합성된 존재라 생각하는가? 나는 모른다. 너는 네가 생각한다는 사실을 아는가? 당연히 알고 있다." 이 인용문에는 데카르트의 "나는 생각한다. 그러므로 존재한다"는 경 구뿐만 아니라 가생디의 "나는 걷는다. 그러므로 존재한다"는 경구에 대한 답변도 들어 있다.

– 버트런드 러셀 『서양철학사』 중에서

나의 생각:

나는 누구인가? 그 어떤 질문보다 명료하지만 그 어떤 질문보다 어렵다. 한 가지 개체로 '나'를 정의할 수 없다. '나'는 영혼과 육신이 조합된 인간이라는 형상을 가졌다. 영혼과 육신은 죽을 때까지 분리되지 않는다. 분명한 대답 같지만 모호하다.

나는 사유하는 인간이다. 저무는 노을을 바라보며 삶의 의미를 되새기고 탄산수 한 잔을 마시며 청량함을 논할 수 있다.

구체적인 실천방안

1. 하루 30분 이상 책을 읽는다.

2. 책 속의 한 문장에 내 생각을 5줄 이하로 담아본다. – 일기를 쓴다.

3. 작가의 문장을 워드에 기록한다.

9일. 아이디어 메모하기

오늘은 디지털 글쓰기가 아니라 아날로그 글쓰기를 실천하는 날입니다. 먼저, 종이 한 장과 펜을 준비합니다. 큰 글씨로 '나의 관심사 목록'이라는 제목을 씁니다. 여러분의 지금 관심사는 무엇인가요? 트렌드를 찾아보는 것도 좋습니다.

잠시 눈을 감고 명상하듯 나의 관심사에 대해 5분 동안 생각해봅시다. 떠오르는 모든 단어를 놓치지 말고 종이에 씁니다. 규칙 없이 떠오르는 대로 낙서하듯 씁니다. 예쁘게 쓰려고 노력할 필요 없습니다. 여러분 두뇌의 흐름을 따라가려고 노력하는 게 중요합니다. 그 과정에서 그림을 그리는 것도 좋습니다. 관심사 목록을 얼마나 많이 작성하셨나요? 조금 써도 괜찮습니다.

목록 중에서 한 가지를 고릅니다. 아쉽더라도 할 수 없습니다. 관심사가 반영된 그 단어를 삶에서 어떻게 적용하고 실천할까? 또 생각합니다. 마인드맵 그리듯 상위 가지에서 하위 가지로 관심사 단어를 확장합니다. 더 자세하게 씁니다.

이왕이면 동사 위주로 가지를 전개합니다. 추상적으로 사고하지 않습니다. 몇 단계로 가지가 전개되었나요? 얼마나 가지가 체계적으로 정리되었나요?

이제 여러분은 정리된 관심사 마인드맵으로 글을 쓸 준비가 된 것입니다. 이렇게 구조와 설계도를 미리 만들어 놓으면 더 쉽게 글을 쓸 수 있습니다. 생각을 충분히 해야 비로소 글을 쓸 수 있는 것입니다.

한 줄 쓰기도 힘든가요? 그다음 문장을 어떻게 연결해야 할지 참 어렵죠? 이런 분들은 먼저 설계도를 그려보시기 바랍니다. 의외로 쉽게 글이 풀릴 수도 있으니까요. 낙서하듯 그린 나의 관심 분야 종이 한 장, 체계적으로 정리한 마인드맵 그림 한 장이 미션입니다.

미션: 낙서하듯 그린 나의 관심분야 종이 한 장 + 체계적으로 정리한 마인드맵 그림 한 장

미션 예시:

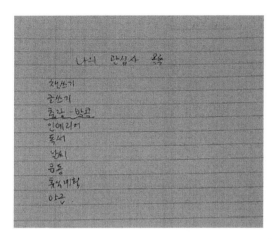

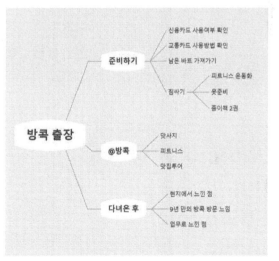

10일. 시 필사하기

　여러분의 내면에 숨겨진 예술적 감성을 회복하는 시간을 오늘도 가져봅니다. 예술적 감성을 찾기 위해 어떤 활동을 펼치는 게 좋을까요? 지난주에는 음악을 들었습니다.

　오늘은 시를 읽고 필사하는 시간을 가져봅니다. 음악을 들으면서　말입니다.　오늘은 편안하게 쉬면서 음악 감상을 하며 시를 읽어 봅니다. 다만, 세 번 이상 반복해서 듣고 세 번 이상 읽습니다. 들으며 일주일 동안 쌓인 스트레스를 풀어봅니다.

　편안하게 앉아　나를 힐링하는 시간을　가져봅니다.　오늘은 글을 쓰지 않습니다. 대신 글을 쓰기 위해 마음을 비우는 시간을 갖습니다. 시를 읽고 마음을 건드린 문장을 필사합니다.

　미션: 음악 한 곡을 들으며 시를 읽습니다. 시를 필사하며 예술적인 감성을 살리는 시간을 갖습니다.

　미션 예시:

어떤 아기

이선욱

지나가는 열차

멀어지는 소리

풍경의 정적

비어 있는 정오
그것들로 부터
하나의 관념은 하나의 발자국

11일. 부캐 키우기

여러분 부캐라는 단어 들어보셨나요? 개그맨 유재석의 부캐 '유산슬' 덕분에 부캐가 유행하기 시작했어요. 부캐는 삶에서 새로운 평행 세계를 구축하는 일이라고 합니다. 본캐가 달성하지 못했던 것을 본캐가 대신하는 거죠. 본캐를 망치지 않으면서요.

우리는 삶에서 온갖 스트레스를 달고 살아갑니다. 삶은 그러한 것들의 반복입니다. 반복적인 일상은 삶을 무기력하고 공허하게 만들기도 합니다. 내 삶에 새로운 자아를 추가시키는 일은 기존의 무료함을 떨쳐버릴 수 있는 흥분제가 됩니다. 부캐가 그런 영역을 담당하게 된다는 것입니다.

본캐가 오리지널 콘텐츠라고 한다면 우리는 부캐라는 가상의 콘텐츠, 그러니까 자신의 정체성과 비슷하지 않은 다소 도전적인 캐릭터를 만들어놓고 그 캐릭터에게 미션을 부여하고 그것을 달성하면서 성취감을 느껴 나간다는 거죠.

부캐는 멀티 페르소나라는 신조어와 연결이 됩니다. 본캐의 물리적인 형태(본질)는 바꿀 수 없지만 부캐라는 페르소나는 얼마든지 만들고 바꾸고 심지어는 삭제하는 것도 가능하니까요.

우리 인간에게는 설명할 수 없는 수많은 자아가 존재한다고 합니다. 사람들과 관계를 맺으면서 관계에 맞는 페르소나를 평행우주처럼 만들어 나갑니다.

요컨대, 부캐는 새로운 우주를 개척하는 일이에요. 여러분의 세계관을 확장하는 일이고 삶에서 새로운 역사를 쓰는 일이죠. 본캐에게 무력감을 느끼거나 어떤 한계를 느꼈다면

부캐를 하나 만들어보는 건 어때요? 인생에 새로운 미션을 추가해 보는 거죠. 오늘은 앞으로 새롭게 도전해 보고 싶은, 절실한 목표를 담은 부캐 하나를 디자인해 봅니다.

미션: 앞으로 여러분의 새로운 인생을 개척할 부캐를 하나 만듭니다. 부캐에게 새로운 정체성을 부여합니다. 이름, 나이, 태어난 곳, 직업을 설정해 봅니다. 그리고 두 가지 질문에 답해봅니다. 앞으로 부캐는 어떤 삶을 살게 될까? 부캐는 어떤 결말을 맞게 될까?

미션 예시:

이름: 일과삶

나이: 7살 (2018년 기준으로 새롭게 태어남)

태어난 곳: 서울, 강남

직업: 작가

질문: 앞으로 부캐는 어떤 삶을 살게 될까?

브런치 작가로 시작한 일과삶은 지금 글 쓰는 작가로 매년 책 한 권을 발행한다. 주 1회 브런치에서 글 한 편을 작성해 원소스멀티유즈 하여 최종 책으로 완성한다. 일하고 배우고 느낀 점을 나누며 삶의 성장으로 안내하는 글이 책의 주제다. 일과 삶의 조화를 몸소 실천하며 다른 사람의 삶에도 영향을 미친다. 그 과정에서 알게 된 노하우를 글쓰기 수업과 코칭으로 공유한다.

질문: 부캐는 어떤 결말을 맞게 될까?

시작은 미약하지만, 매년 책 한 권을 내었다. 죽는 날까지 책을 발행해 총 50권이 넘는 책이 나왔다. 모든 책이 성공하지는 않았지만, 적어도 한 권은 베스트셀러가 되어 10쇄를 찍었다. 한국인의 마음속에 일과삶은 꾸준히 글 쓰며 타인의 삶에 긍정적인 영향을 미치는 작가로 기억되었다.

12일. 문우 칭찬하기

누군가를 칭찬하면 칭찬을 받은 당사자와 칭찬을 건넨 사람, 즉, 두 사람의 자존감이 동시에 상승한다고 합니다. 칭찬을 구체적으로 하게 되면 자신감이 올라가고 자신감의 상승은 자존감의 동반 상승을 불러오는 원리입니다.

칭찬은 타인을 인정하고 소중하게 여기는 인간관계의 아주 작은 상호작용이라고 볼 수 있어요. 우리가 누군가에게 칭찬받기를 원한다면, 먼저 타인에게 다가설 필요가 있어요. 먼저 관심을 두고 친절하게 대하고 문우가 가진 장점과 행동에 대해 아낌없이 칭찬하면 되겠죠.

누군가를 구체적으로 칭찬해 보셨나요? 브런치나 블로그 구독자 중에서 혹시 떠오르는 한 사람이 있나요? 그 문우의 글을 생각하며 써봅니다. 그 사람 글의 어떤 면이 좋았나요? 어떤 면 때문에 호감을 느끼게 됐나요? 막연하게 좋다는 말보다 구체적으로 어떤 면이 마음에 들었는지, 어떤 면을 본받고 싶은지 상세하게 써주시기를 바랍니다.

스미스가 제시하는 행복 처방전은 단순하다. 사람들에게

사랑받고, 사랑스러운 존재가 되면 된다. 이는 곧 존경받고 존경받을 만한 사람이 되고, 칭찬받고 칭찬받을 만한 사람이 되는 것을 의미한다. 그렇게 다른 사람들에게 중요한 존재가 되고, 다른 사람들이 생각하는 내 모습이 실제의 나와 같으면 된다. 한 마디로, 정직한 방법으로 사람들의 존경과 존중을 받으면 된다.

  – 『내 안에서 나를 만드는 것들』 중에서

  미션: 칭찬하고 싶은 문우 한 사람을 결정합니다. 문우를 구체적으로 칭찬하는 글을 써봅니다.

  미션 예시: OO님을 칭찬합니다.

  OO님은 글쓰기 미션도 한 번도 빠지지 않고 완수하셨어요. 글쓰기는 무엇보다 성실성을 요구합니다. 꾸준하게 해야 한다는 것을 누구나 알지만, 아무나 실천하지 못하는 과제일 테니까요. 그런데 그것을 소리 없이 실천하고 계십니다. 게다가 문우가 남긴 글에 답글까지 성실하게 답해주십니다. 칭찬할 부분이 너무 많아서 일일이 열거하기 어려울 정도입니다.

칭찬할 부분을 정리한다면

1. 타인의 글을 정확하게 읽어낼 수 있는 능력: 문해력

2. 정성스럽게 댓글을 다는 점: 성실성

3. 내 글에 남긴 문우의 댓글에 답글 달기: 소통과 공감

4. 감각적인 글: 오감의 활용

5. 타인의 삶에 영향을 주는 글: 적용

13일. 종이 신문(잡지) 읽기

여러분 신문이나 잡지 읽나요? 인터넷으로 접근 가능한 온라인 신문 말고 종이로 만든 거 말입니다. 요즘 종이 신문 읽는 분 거의 없죠? 언젠가 사라지게 될 매체일지도 모르겠어요.

해외여행갈 때, 비행기 안에서 종이 신문을 읽은 적이 있는데 느낌이 정말 새롭더라고요. 신문의 여러 섹션을 처음부터 마지막까지 읽게 되니 전체적인 흐름을 읽게 되는 능력이 생긴다고 할까요?

하나의 주제뿐만 아니라 여러 주제를 하나로 연결하는 추상적인 생각의 조합법까지 터득하게 되고요. 종이 신문을 열심히 읽고 서로 다른 기사들을 연결하려는 연습을 반복하다 보면 새로운 통찰력이 생긴다고 합니다. 현상에 숨은 본질을 읽는 눈이 생긴다는 겁니다. 그런 것을 바로 추상적인 사고라고 부릅니다. 전체 흐름을 객관적으로 조망하면 전체가 하나의 의미로 모이는데, 그런 것을 추상적인 생각이라고 하는 것이죠.

인터넷으로 신문을 볼 때는 광고도 어지럽고 사람들의 댓글도 눈살을 찌푸리게 하죠. 종이 신문은 그런 걸 다 없애주고요. 잡지도 마찬가지 개념을 갖습니다.

저는 뉴필라소퍼라는 잡지를 구독 중인데요. 한 권은 하나의 주제를 담고 있어요. 그 주제에 대한 다양한 사람들의 의견을 읽으며 그 주제를 더 깊이 생각하게 됩니다. 통찰력을 갖게 되는 거죠. 인터넷 매체에서 얻지 못하는, 오직 종이로 만든 매체에서 얻는 강점입니다.

오늘은 종이 신문이나 종이 잡지를 읽어봐요. 가판대에서 신문을 직접 구입해보는 것도 좋고 서점에서 잡지를 읽어보거나 도서관에 가면 각종 간행물을 볼 수 있어요. 읽고 나서 느낌이 어땠든지 들려주세요.

미션: 종이 신문이나 잡지 한 권을 읽습니다. 느낌을 짧게 글로 씁니다.

미션 예시:

《창작과 비평 겨울 2020》과 두 번째 코로나19 겨울을 보냈다. 작년 2월 말부터 시작된 재택근무는 만 1년이 되었고, 코로나19가 막 시작하던 때 창작과 비평 계간지를 만났다. 5권의 계간지를 감사히 받아 낯선 글도 읽고, 새로운 내용도

배운다. 내가 알지 못하는 세상을 배운다. 평소에 읽지 않는 단편 소설, 시, 논단, 평론, 작가 조명, 대화, 현장, 특집까지. 술술 읽히지 않고 늘 어렵다. 어렵고 익숙하지 않은 용어도 자꾸 접하면 조금씩 눈이 뜨인다. 그렇게 배워나간다.

14일. 나에게 선물하기

오늘은 열심히 살아온 자신에게 선물을 해봅니다. 다른 사람이 아닌 오직 나만을 위해서 말이에요.

몇 년 전, 해외 출장을 떠난 적이 있어요. 며칠 동안의 긴박한 일정이 끝나고 개인적인 쇼핑 시간이 주어졌지요. 쇼핑센터 이곳저곳을 누비고 다니며 가족들을 위한 선물을 준비하는 시간을 가졌어요. 그 선물을 받은 가족들의 행복한 표정을 상상하면서 말이죠.

가족들의 선물을 먼저 고르고 나서 제 선물도 사야겠다고 결심했는데, 막상 저를 위한 물건을 쇼핑하려니 그게 망설여지는 겁니다. 이미 큰 지출을 하기도 했고 '굳이 그 물건이 꼭 필요한 것인가?'라고 생각하게 되니, '나는 그냥 양보하는 게 낫지 않겠나?' 이런 생각이 든 거죠.

더 큰 문제는 제가 무엇을 좋아하는지, 또 무엇을 사고 싶은지 잘 모르겠더군요. 나만을 위한 작은 선물을 사는 행위조차 버겁고 어려운 과제처럼 느껴진 것이죠. 여러분도 저와 같은 경험이 혹시 있으신가요?

다른 사람을 배려하느라, 늘 자신은 뒷전으로 미뤄두는 것

말이에요. 가장 소중한 사람은 바로 나 자신인데, 저는 늘 어떤 결정의 순간마다 우선순위에서 밀려있더라는 거죠. 혹시, 저와 같은 비슷한 고민을 하고 계실 분들을 위한 미션을 만들어봤어요.

오늘은 그래서 오직 여러분 자신만을 위한 시간을 가져볼 거예요. 그것은 바로, 작고 사소하더라도 여러분을 위한 선물을 스스로에게 건네보는 거예요. 그동안 수고했다고, 열심히 사느라 고생했다고, 오직 나만을 위한 선물을 하는 겁니다. 가격에 상관없이요.

이 과정에서 혼란을 겪는 분들이 분명 있을 겁니다. '내가 무엇을 좋아했지? 뭘 갖고 싶었지? 내가 그럴 자격이 될까?' 이런 생각에 빠지는 분도 있겠죠. 하지만 오늘은 오직 여러분 자신에게만 집중할게요.

작고 소박하더라도 여러분에게 정말 요긴한 물건, 그동안 가지고 싶었지만 머뭇거렸던 물건, 여러분의 자존감을 높여 줄 만한 물건을 찾아봐요. 그리고 그걸 구입합니다. 여러분을 위해서요. 어떤 느낌이 들었는지 짧게 써주세요.

미션: 작고 소박하더라도 여러분에게 정말 요긴한 물건을 사고 난 후 어떤 느낌이 들었는지 짧게 써주세요.

미션 예시: 나를 위한 크리스마스 선물

얼마 전 교보문고에 다녀왔습니다. 어떤 책을 사람들이 좋아하는지, 어떤 책이 새로 나왔는지, 살펴보는 서점 구경은 늘 즐겁습니다. 베스트셀러에 진열된 책을 바라보며 선망과 질투의 시선을 보내기도 하고, 트렌디한 책을 보며 과연 이런 글을 써야 하나 저를 돌아보기도 합니다. 베스트셀러 코너를 보던 중 아래에 진열된 상품에 눈이 갔어요. 바로 달력이었습니다.

내년 달력을 이미 11월에 샀어요. 네이버 일정 앱을 주로 사용하기에 모바일과 컴퓨터로 수시로 일정을 확인합니다만 직관적인 탁상형 달력도 사용합니다. 이왕이면 일정을 빼곡하게 채울 수 있는 큰 달력을 좋아하는데요. 작년에 그런 다이어리형 달력을 발견해서 올해 잘 사용했고 또 내년을 위해 같은 브랜드로 장만했어요. 가로 30cm 세로 22cm의 탁상 다이어리는 구하기 어렵거든요.

달력을 살 필요가 없다고 여기고 다른 코너로 갔다가 다시 그 달력을 보려고 갔어요. 몇 번을 만지작거리다 살짝 내려놓았습니다. 금액이 22,000원이나 되더라고요. 달력이라기보다 일력이었어요. 탁상 일력인데 꽃 그림으로 가득해서 매일 꽃과 꽃말을 볼 수 있어 행복할 것 같았어요. 바로 옆에 그림이 담긴 일력도 있었는데 그림 크기가 작아서 꽃 그림으로 가득한 일력이 좋아 보였어요.

어린 시절 아버지는 잠자리에서 일어나자마자 일력을 한 장 뜯으며 하루를 맞이했어요. 얇은 종이로 만들어진 일력은 엄청 큰 숫자로 그날의 일자를 보여주었죠. 방안에서 가장 큰 존재감을 드러내며 우리를 인도했습니다. 그 영향일까요? 전 탁상달력에 포스트잇을 옮기며 해당 일자를 바로 알 수 있게 사용합니다. 월간 행사를 보기엔 탁상 달력이 편하긴 한데 오늘의 일자를 알려면 일력도 좋겠죠?

교보문고에서 다른 책을 샀지만 여러 번 들었다 놨다 한 일력은 사지 않았어요. 탁상달력을 사용하면 되는데 굳이 일력까지 필요할까 싶어서요. 집에 와서도 일력 속의 꽃이 잊히지 않더군요. 결국 온라인 서점에서 주문했어요. 저를 위한 크리스마스 선물입니다. 매일 잘 모르는 꽃의 사진을 바라보며 흐뭇한 미소를 지어요. 요일이 없는 일력이라 깨끗하게 관리하면 평생 쓰겠어요.

12월 25일의 꽃 사진은 '헬레보루스'고 꽃말은 '불안을 가라앉혀요'입니다. 헬레보루스는 겨울에 피는 장미라고 해서 크리스마스 로즈라는 이름을 가지고 있답니다. 오늘이 크리

스마스라 구독자 여러분에게 헬레보루스 꽃 사진을 올립니
다. 행복한 크리스마스 보내세요~.

15일. 가슴 설레는 일을 찾아봐요

어느 할머니가 이런 말씀을 하셨어요. "늙게 되면 가장 억울한 게 뭔지 아냐?"라고 말입니다. 할머니께서 대답하시길 '주름? 돈?' 이런 게 아니래요.

할머니에게 정말로 억울했던 일은 나중에 실컷 놀아보겠다고 현재의 삶을 일과 가족, 이웃, 친구, 회사 등 내가 아닌 다른 가치에 양보하며 살았다는 거예요. 이제 시간이 좀 생겼는데 돈도 좀 벌었고 여유도 많이 생겨서 실컷 놀아보려고 했더니 그만 늙어 버렸다는 거죠.

마지막에 웃는 사람이 승리한 인생인 줄 알았는데 자주 웃는 사람이 승리한 인생이었다는 걸 뒤늦게 안 거죠. 그걸 다 늙고서야 깨달았다는 거예요.

할머니의 말씀은요. 너무 아끼며 악착같이 살지 말라는 겁니다. 내 삶을 양보하지 말고, 봄 되면 꽃구경도 다니고, 여행도 다니고, 하고 싶은 일을 지금 하라는 거죠.

인생은 타이밍이래요. 미루다 보면 인생의 좋은 타이밍들은 통장의 입금 숫자처럼 쌓여서 나에게 돌아오는 게 아니라, 하나씩 사라지고 있다는 얘기입니다.

행복은 적금통장이 아니에요. 나중에 행복을 되찾을 수 없대요. 하루하루 내가 하고 싶은 일, 나를 기쁘게 하는 일, 내 인생을 의미 있게 만드는 일을 사는 게, 최고의 삶이라는 거죠.

오늘의 미션은 지금 이 순간, 여러분의 가슴을 설레게 하는 일, 도저히 이것이 아니면 안 되겠다는 일, 시간이 가는 것조차 잊어버리게 만드는 일, 나를 너무나 즐겁게 만드는 일, 그 일이 무엇인지 찾아봐요. 그것에 대해 씁니다. 석 줄도 좋고 다섯 줄도 좋아요. 쓰고 싶은 만큼, 다만 욕심내지 말고 써봐요.

미션: 지금 이 순간, 여러분의 가슴을 설레게 하는 일을 씁니다.

미션 예시: 돈 안들이고 내 책쓰기 특강 후기
글쓰기도 물론 좋지만 난 두 가지 중에 늘 어떤 게 더 설레는지 고민한다. 강의를 준비하는 순간 그리고 실제 강의를 진행하는 순간. 둘 다 설레어서 뭐가 더 좋은 건지 잘 모르겠다. 의외로 강의를 잘하는 강사 중에 강의가 정말 좋아서 한다는 사람이 드물다. 나는 강의를 탁월하게 잘하는 것

은 아니지만, 좋아서 하기에 그 마음과 진정성이 전달될 것을 기대하며 강의한다. (아무리 잘하는 사람도 좋아서 하는 사람을 이길 수 없다는 거 ㅎㅎ)

어제 "돈 안 들이고 내 책쓰기 특강 (feat. 부크크)"을 진행했다. 작년에 뭣도 모를 때 무료로 강의한 것을 이번엔 1년 동안의 경험과 노하우를 쌓아 만 원의 수강료를 받고 전달했다. 얼마나 신청할까 궁금했다. 무료 강의한 작년에는 69명이 신청했는데 내 실수(어도비 커넥트의 무료 인원 제한 수를 파악하지 못한 불찰)로 15명만 참여할 수 있었다. 죄송한 마음으로 유튜브에 강의 내용 전체를 공개했다. (덕분에 유튜브 효자 콘텐츠가 되었다. 조회수 5,362 좋아요 163, 싫어요 2) 음질도 별로고 말도 너무 빨라서 사실 마음에 안 든다.

그런 흑역사를 만회하려고 이번에 1년이 되는 시점에 유료 강의를 오픈했는데 감사하게도 24분이 참여했다. 강의 준비를 하고 강의하는 게 힘든 게 아니라 24분을 한 오픈 채팅방에 모으는 게 더 힘들었다. 아무튼 나는 내 노하우를 공유한다는 기쁜 마음으로, 책 쓰기를 꿈꾸는 예비 작가들이 기뻐할 모습을 상상하며 강의 준비를 했다. (설렘 1) 그리고 줌으로 이들을 바라보며 아낌없이 내가 아는 한에서 정

보를 전해주었다. (설렘 2)

 마지막에 만족도 조사를 줌 설문으로 받고 당연히 저장될 줄 알고 줌을 끝냈는데 줌 종료와 함께 사라졌다. 대략 4.3 정도의 만족도였다. 바보같이 설문 결과도 실제 참여한 사람 수도 확인을 못 했다. 이 또한 학습의 기회로 여기며 다음 강의를 설레는 마음으로 기대해 본다.

 다음은 참여자의 후기

 1. 선생님 너무나 좋은 강의 감사합니다~! 와.. 오늘 귀한 시간 많은 도움 되었습니다 ♡

 2. 좋은 강의 감사합니다. 강의 넘 잘 들었습니다

 3. 성의 있는 강의 감사합니다

 4. 수고하셨어요^^

 5. 감사합니다

 6. 감사합니다!

 7. 감사합니다 ^^

 8. 감사해요!

 9. 새해 복 많이 받으세요~!!^^

 10. 좋은 강의 감사 드려요~^^ 도움 많이 되었습니다.

11. 넘 잘 들었어요. 감사합니다.

12. 감사합니다.

13. 수고 많으셨습니다.

14. 좋은 수업 잘 들었습니다. 핵심만 쏙쏙 골라서 장단점 비교해 주셔서 많은 참고 되었습니다. 감사합니다.

15. 강의 감사 드립니다.

16. 감사합니다.

17. 너무 좋은 강의였습니다(좋아)(굿)

16일. 삶에서 직면하는 장애물 뛰어넘기

여러분을 괴롭히는 장애물이 혹시 있나요? 저는 과거에 글을 쓸 때, 이런 고민에 빠지곤 했어요.

'내가 이런 글을 쓰면 사람들이 나를 어떻게 생각할까?'

'고작 이따위의 일기 같은 글이나 배설한다고 손가락질하지 않을까?'

'쓴다고 누가 읽어주기나 할까?'

'아니, 이런 치욕스러운 경험까지 이야기해야 하나? 대체 어디까지 감추고 어디까지 진솔하게 써야 할까?'

이런 고민에 빠지다 보면, 몇 글자를 쓰다가도 백스페이스 키를 누르는 일이 다반사였어요. 그러니까 저에게 있어서 장애물은 자기 검열, 의심, 자책감, 이런 것들이었던 거죠.

처음엔 그런 것들이 장애물인지 인식하지도 못했어요. 책을 읽으면서 아, 하고 깨닫게 되는 거죠. 글을 못 쓰게 만드는 것은, 가족이나 친구도 아니며, 인터넷의 흔한 악플러도 아니며, 회사의 프로불편러도 아닌, 바로 나 자신이었다는 것을요.

그런 깨달음은 공짜로 생기지 않아요. 내가 그 분야를 직면해야 아는 거예요. 글을 써봐야 자기 검열이 무엇인지 이해하게 되고, 그 장애물이라는 것이 얼마나 나를 무겁게 짓누르는지 알게 된다는 것이죠.

그런데요. 그 장애물이란 것이 우리에게 고통을 안겨주는 건 사실이지만, 우리를 성찰하게 해주기도 한다는 거예요. 장애물 앞에 쓰러져서 그 장애물 위를 도약하지 못하고 좌절하거나 절망한다면 뒤로 돌아서 원래 자리로 돌아가고 말겠죠.

장애물 때문에 고통을 얻었지만, 나의 모자란 점, 부족한 점이 무엇인지 알게 된다면 그 과정에서 우리는 성찰하게 되는 거예요. 그러면 우리는 그 자리에 쓰러진 상태가 아닌 한 단계 발전하는 셈이 되는 겁니다.

장애물, 여러분의 현재를 가로막는 장애물, 그 장애물이 무엇인지 살펴봐요. 장애물 앞에서 쓰러졌거나 주저했다면, 왜 그랬는지 성찰해 봐요.

장애물이 얼마나 거대한지 지금 이 순간엔 막막하게 느낄 수도 있어요. 그렇지만 그 무서운 장애물이라는 것도 줄기차게 두드리면 결국 무너지더라고요. 그것을 뛰어넘는 에너지도 결국 스스로 만들어내게 되더군요. 우리는 언제나 그랬듯정답을 스스로 찾게 되어 있으니까요. 그게 우리의 본

능이니까요.

오늘은 여러분의 삶에서 현재 직면하고 있는 장애물들을 생각해 봅니다. 글쓰기에서의 자기 검열? 자신감 부족? 직장에서의 출세와 성공? 퇴사? 자기 계발? 영어 공부? 새로운 도전에 대한 두려움? 무엇이든 좋아요.

도전할 때마다 나를 가로막았던 그 장애물을 생각해 봅니다. 그 장애물이 엄청 크다고요? 처음에는 그렇게 보일 거예요. 하지만 계속 부딪히며 고통을 체감하며 뛰어넘으려 도전하다 보면 그 장애물이 점점 왜소해지고 보잘것없어질 거예요.

여러분만의 장애물, 그 장애물을 어떻게 뛰어넘을 것인지 단단한 각오를 만들어봐요. 저도 해내고 있으니 여러분도 하실 수 있어요. 여러분의 이야기를 들려주세요.

미션: 여러분만의 장애물, 그 장애물을 어떻게 뛰어넘을 것인지 단단한 각오를 짧게 들려주세요.

미션 예시: 지금의 나를 만든 소중한 원동력
"어리석게도 여러분이 두려워하는 것은 무엇인가요?"

"외로움입니다."

심리상담을 위한 검사 중 SCT(Sentence Completion test, 문장 완성 검사)에 있는 질문에 대한 답입니다. 생각나는 대로 문장을 완성해서 제출했는데요. 문항을 재조합하니 제 답변이 새롭게 보였습니다. 부모, 가족, 이성 관계, 대인지각, 권위자, 두려움, 죄책감, 능력, 과거, 미래, 목표에 관한 생각을 대화로 찾아갔습니다.

긍정적인 측면으로 제 화두가 학습과 성장이라면, 부정적인 측면의 화두는 외로움이 맞습니다. 외로움이 학습과 성장의 견인차가 되기도 합니다. 인정하고 싶지 않지만 결국 외로움이 저를 아바타처럼 부려 먹었습니다. 여기서 외로움은 사전적인 의미의 '홀로되어 쓸쓸한 마음이나 느낌'과 더불어 '하릴없이 빈둥거리는 모습'을 포함합니다.

어린 시절 성실하게 생활하는 부모님을 존경했지만, 쉴 때는 누워 TV를 보는 모습이 무척이나 싫었습니다. 나이 들어 무기력하게 TV만 보고 사는 모습이 트라우마처럼 저를 짓눌렀습니다. 그래서 공공연하게 죽을 때까지 일할 거라고 말하고 프로 일벌러의 삶을 꾸려나갔나 봅니다.

정신없이 달려 완주하면 뭔가 공허한 기분이 몰려옵니다. 그런 적 있으시죠? 원하는 목표를 향해 최선을 다해 노력하고, 끝을 본 후에 생겨나는 감정 말이죠. 과정을 즐기며 한 걸음 한 걸음 올라왔는데 다음 과정이 없어 당황스럽다고나 할까요?

처음 온라인 모임에 참여하며 단톡방에 불이 나도록 톡을 했는데요. 더 이상 외롭지 않을 것 같은 희망 때문에 안도감이 들었습니다. 가열차게 모임을 만들고, 운영했습니다. 온라인으로만 만난 인연이 수백 명이 되었어요. 어쩌면 과거 실제로 만난 사람보다 더 많을 수도 있겠네요.

세상의 모든 일이 제 마음대로 안 되니 모임을 멈추기도 하고, 없애기도 했습니다. 반응이 있고, 꾸준히 참여하는 분들의 인원이 어느 정도 유지되는 독서 모임(매일 독서 습관 쌓기)과 글쓰기 모임(내 글에서 빛이 나요!)을 제외하고는 하나씩 중단했습니다. 원데이 독서토론, 서평으로 시작하는 글쓰기, 그릿 원정대는 이제 뒤안길에 남겨졌습니다.

나를 찾아가는 글쓰기도 잠시 접어 두었다가 최근 5주 과정으로 다시 오픈했습니다. 1박 2일로 놀러 가기 좋은 토요일 저녁 시간을 비우고, 합평을 준비하는 게 쉬운 일은 아닙니다. 준비, 시간, 노력, 부담을 차치하고 굳이 왜 수업하고 싶은 이유가 도대체 뭘까요? 곰곰이 생각해 보니 외로움 때문이었습니다.

　사람을 좋아하고, 만나고 싶은 이유가 그들로부터 배우고 성장하고 싶은 마음인 줄 알았는데요. 그 안에 외로움이 뿌리 깊게 뻗어 있었다는 걸 이번 나찾글을 재오픈하면서 알아차렸습니다. 감사하게도 개설 확정했습니다.

　외로움이라는 존재를 부정적으로 보고 두려워만 했는데요. 어떻게 보면 지금의 저를 만든 소중한 원동력입니다. 어떻게 하면 이 친구와 사이좋게 지낼 수 있을지, 저의 새로운 여정을 고민해야겠습니다.

17일. 신나게(즐겁게) 하는 방법

'신나다'를 사전에서 찾아보면, "어떤 일에 흥미나 열성이 생겨 기분이 매우 좋아지다"라는 뜻으로 해석됩니다. 신나다, 여러분! 글을 써보니 실제 신나던 가요? 없던 열성이 마구 생기고 기분도 좋아지고, 매일 글만 쓰고 싶다거나, 당장, 작가가 될 것 같은 그런 기분 좋은 상상이 생기던가요?

신나는 감정은 새로운 일, 낯선 일, 설레는 일을 시작하게 되면 생기는 거래요. 내가 지금부터 신나야겠어,라고 작정한다고 생기는 게 아니라는 거죠. 마음이 저절로 동해야 생기는 겁니다. 신나는 일은 도파민의 생성 과정과 연관이 있어요. 도파민은 누군가를 사랑하기 시작할 때, 분비되는 호르몬이라고 하죠? 새로운 만남, 새로운 관계, 새로운 도전, 새로운 공간, 그런 새로운 체험을 시작하게 되면 도파민이 생성되는 겁니다.

우리, 처음으로 돌아가 봐요. 처음 이 책을 읽으며 결심했던 그 순간으로 돌아가 봐요. 감정을 그때로 명확하게 되돌이킬 수 없겠지만, 아마도, 묘한 흥분감, 설렘에 도취되었을 겁니다.

뭐, 그런 감정 없이 그냥 호기심 때문에 글 쓰는 습관을 만들고 싶은, 단순한 동기 때문에 시작한 분도 계시겠지만, 아마도 기존의 글쓰기 책과 뭔가 색다르고, 신나는 글쓰기 경험이 펼쳐질 거라 기대하셨을 거예요.

제 예감이 맞았나요? 그런데, 막상 미션에 따라 글을 써 보니, 그리 신나진 않죠? 우리 솔직하게 말해봐요. 석 줄만 써도 된다고 했는데, 쓰다 보면 나도 모르게 욕심이 생기고, 더 잘 쓰고 싶어서, 또 남들에게 잘 쓰는 사람으로 보이고 싶어서, 나를 더 포장하고 싶은? 어떤 욕망이 자꾸 부풀어 올랐죠?

욕심이 생기니까, 잘 쓰고 싶다는 강박관념이 생기니까, 신나고 즐거워야 할 글쓰기가 어느 날부터 고통으로 변질되고, 숙제처럼 되어 버리게 되고요.

뭐 미션이 강제 사항은 아니니까, 그냥 안 하고 말지, 또 미루고 또 미루게 되고, 미루다 보니 미루는 게 습관이 되어서 아예 쓰는 걸 포기하게 되는 지경까지 이르게 됩니다.

처음에는 호기심 때문에 그 과정이 즐겁고 재미있을 것 같아서 글쓰기를 시작해요. 글 쓴다는 것 자체, 작가가 된다는 것이 뭔가 멋있어 보여서 글을 쓰려는 분들이 많더라고요.

그런데, 써보면 이 작업이 생각보다 어려운 거예요. 쓰는 일 자체에 평상시 훈련이 되어 있지 않은데, 써야 한다니, 얼마나 어렵고 고통스럽겠어요? 그럼에도 불구하고 인간은 욕심을 못 버리는 거예요. 자꾸만 분량을 늘이고 싶고, 멋진 단어를 더 많이 활용하고 싶고, 그렇게 되니 만족을 느끼지 못하는 겁니다. 그러다, 포기해버리고 마는 거죠.

시작하는 게 아무 의미가 없어지는 순간을 맞이하고 말아요. 그러니 욕심을 버려야 합니다. 내려놓아야 해요. 그래야 처음의 마음을 일관성 있게 유지할 수 있어요. 그래야 신나게 쓸 수 있어요.

모든 자기계발 책에서 이야기하는 작은 습관부터 실천하라는 말이 괜히 나온 게 아닙니다. 작은 것을 해내고 그것에서 성취감을 얻어야 인간은 다음 단계로 나아갈 수 있거든요. 욕심을 크게 설정하면 그만큼 실망도 클 수밖에 없어요.

아무것도 아닌 이야기 같죠? 하지만 언제나 기본이 먼저에요. 쉬운 것부터 정복해야 어려운 일도 도모할 수 있는 겁니다. 또한 신나려면요.

좋아하는 분야의 글을 쓰세요. 어떤 주제든 내가 좋아하는 일과 연관시켜 보세요. 에세이가 좋아요? 그럼 내가 좋아하는 에세이 작가의 문체를 따라 하고요. 논리적인 글이 좋다면, 논리적인 글을 쓰는 작가의 책을 읽어보며 따라 해보는 겁니다. 소설이 좋으면, 소설책의 한 문장을 이어보는 연습을 하는 것도 좋고요.

내가 어떤 일을 좋아하는지 그것부터 찾아내고, 그것을 어떻게 연습하고 따라 하면 되는지, 방법적인 것만 고민하고 실천하면 됩니다. 좋아하는 걸 열심히 하면 알아서 신나게 될 겁니다.

오늘의 과제는 어떤 일을 할 때 즐겁고 신나는지 생각해 보고 그 생각을 글로 정리해봅니다. 지금까지 내가 경험했던 모든 일들과 앞으로 거쳐야 될 경험까지 모두 생각해 봐요. 글쓰기가 정말 나를 신나게 하는지, 다른 일이 나를 신나게 하는지, 천천히 생각해 보고 여러분의 생각을 정리해 주세요. 짧게요.

미션: 어떤 일을 할 때 즐겁고 신나는지 생각해 보고 그 생각을 글로 정리해봅니다.

미션 예시: 일하러 시드니 갔다가 신나게 놀고 왔어요 - 회사에 다니는 이유

요즘같이 어려운 시기에 해외 출장을 가기란 쉽지 않죠. 운이 닿아 올해로 두 번째 해외 출장을 다녀왔습니다. 둘 다 시드니고 이미 11번째 방문입니다. 출장을 다니면 출장일 앞뒤를 활용해서 개인 관광을 하기도 하는데요. 보통 출장 가면 월요일, 금요일은 비행기로 이동하고 화, 수, 목요일에 일을 하기에 저에게는 쉽지 않은 도전이었습니다. 출장일 앞뒤로 휴가를 내어 더 놀고 오겠다고 다짐하지만 주말에 모임이 있어서 연장하기가 쉽지 않더군요. 이번엔 기필코 더 시간을 더 보내겠다고 다짐했어요. 지난번 자기 집에서 머물다 가라고 했던 중국인 동료 덕분에 동료의 집 게스트 룸에서 1박 했습니다.

지난번에도 동료 집에서 맛난 저녁을 먹었는데, 이번에도 얼마나 융숭한 대접을 받았는지 준비한 선물이 부끄러울 정도였어요. 한국인은 김치를 매일 먹는다는 말에 김치까지 준비한 정성에 눈물이 찔끔 났습니다. 겉절이를 좋아하는 저에게 묵은지를 주길래 조금만 먹었지만 말입니다. 여러분은 누군가를 위해 그렇게까지 마음 쓴 적이 있나요?

동료는 딸 교육을 위해 4년 전 베이징에서 호주로 리로케이션(relocation) 했는데요. 친구가 많지 않아 조금 외롭긴 해도 시드니로 온 게 너무 좋다고 합니다. 주변 사람을 의식할 필요 없이, 경쟁하지 않고, 가족과 화목한 시간을 보내어 만족스럽다고 해요. 저보고 시드니 와서 이웃이 되어달라는 농담도 했죠. 살짝 마음이 동했어요.

동료는 만두를 빚었고 동료 남편은 베란다에서 바싹하게 구워 대접했습니다. 알록달록 다양한 과일과 샐러드를 푸짐하게 준비했더라고요. 맛나게 먹은 후 설거지를 도와주려고 해도 남편 일이니 그냥 두라고 동료가 말렸어요. 다음 날 아침 식사도 새벽부터 일어나서 준비하고, 피크닉 도시락까지 준비한 남편분께 정말 감사했어요. 맥주를 좋아하는 동료 남편에게 제주에일 같은 한국의 맛난 맥주를 선물해야겠어요.

동료의 집에서 편안하게 쉬며 이야기 나누고, 한국 영화도 보고, 맛난 식사와 관광을 하며 제가 참 운이 좋은 사람이라 생각했습니다. 작은 인연이 싹을 틔워 여기까지 왔습니다. 다음에는 2박 넘게 시간을 내어 1박2일 여행을 떠나자는 동료의 말에 진한 우정과 감사를 느꼈어요. 한국에 오면 배로 갚아주고 싶어요.

동료와 함께 본다이 비치와 클리프 다리(Sea Cliff Bridge)를 다녀왔는데요. 해외에서 친구들이 놀러 오면 소개하는 동료만의 시드니 명소라고 합니다. 이미 여러 번 방문했을 텐데 저를 위해 먼 곳까지 데려다줘서 정말 감사했어요.

"고전이란 누구나 다 들어봤지만 아무도 읽지 않은 책을 말한다"라는 마크 트웨인의 멋진 말을 우리 모두 알고 있지요. 처음 시드니를 방문했을 때 해변이 유명해서 페리를 타고 맨리 비치나 왓슨스 베이에 가봤습니다. 누구나 다 들어봤지만 아무도 읽지 않은 책이 고전인 것처럼 워낙 유명해서 가봤을 거로 생각했는데 본다이 비치는 처음 가본 곳이더라고요. 평소에는 사람이 워낙 많은데 비가 오락가락해서 한산했습니다. 본다이에서 브론테 비치까지 연결된 해변도로(Bondi to Bronte Coastal Walk)를 산책했어요.

특히 바다를 바라보는 공원묘지(Waverley Cemetery)가 인상적이었어요. 비석에 적힌 글을 보려고 자세히 살펴보니 주로 이름과 출생일, 사망일이 많더군요. 100년 전에 태어나 어린 나이에 세상을 떠난 묘지도 있었고요. 장수를 누린 묘지도 있었어요. 결국 우리는 언젠가 모두가 떠나야 합니다. 무엇을 위해, 어떤 목적으로 살아야 할지 다시 생각해 봤어요.

업무차 일주일 머무르는 동안 잠시 짬을 내어 하버 브리지를 도보로 건넌 일과 시드니 오페라 하우스를 바라보며 루프탑에서 피시앤칩스를 저녁으로 먹은 이야기를 하면 너무 부러워할까 봐 사진만 올립니다. 눈 호강하라고 야경 사진도 하나 투척합니다.

만일 저에게 아태지역 다른 곳으로 리로케이션(relocation)해서 일하라고 한다면 시드니를 선택할 것 같아요. 자주 다녀 친숙하고, 정겹고, 해외에 있는 제2의 고향 같아요. 제 버킷리스트 중 하나가 은퇴 후 해외에서 한 달씩 현지인처럼 사는 것인데요. 영국 런던은 예전에 점 찍어 두었고 두 번째로 호주 시드니를 선택하렵니다. 중국인 동료가 좋아하겠네요. 그때까지 인연이 닿는다면요.

일하러 시드니 갔다가 신나게 놀고 왔다고 말했지만 아닌 거 아시죠? 미팅 내내 쉬는 시간은 화장실 잠시 다녀오는 시간뿐이었고, 점심시간은 음식을 가져오는 단 15분이었습니다. 한국 메일을 처리하느라 호주에서 근무시간 후에도 저녁까지 일했어요. 한국으로 돌아오는 비행시간만 10시간이 걸렸습니다. 아침 7시에 호주 호텔을 나와서 한국 집에 밤 9시경 도착했습니다. 피로가 몰려오면서 온몸이 쑤시었습니다.

주말이 행복한 건 정신없는 평일 덕분이듯, 바쁜 일정에도

짬짬이 누리는 소소한 여유 때문에 출장이 좋습니다. 제가
회사에 다니는 이유 중의 하나입니다.

18일. 릴레이 글쓰기

오늘의 미션은 릴레이 글쓰기입니다. 제공해 드린 산문의 한 단락을 읽습니다. 읽고 나서 나머지 단락을 채워주시면 됩니다. 여러분의 생각을 단락에 이어서 담아내시면 됩니다. 분량은 상관없습니다. 하지만 짧게 쓰시는 걸 추천합니다. 길게 쓰려고 욕심 내려다 망합니다.

손 편지를 주고받은 지가 오래다. 가장 최근에 받은 편지는 지난봄 샌프란시스코에서 신혼여행을 보내고 있던 새신랑에게서 온 것이었다. "사랑하는詩人께로 시작되어 "여기에 와서 다른 사람들의 삶을 보고 있자니 그저 어디에서건 살아지는 게 답답하고 또 좋습니다. 여백이 많지 않습니다"로 끝맺는 짧은 편지였다.

– 박준, 『운다고 달라지는 일은 아무것도 없겠지만』 '편지' 중에서...

미션: 박준의 산문을 이어서 완성(릴레이 글쓰기)해 주세요.

미션 예시:

오랜만에 나도 손편지로 답장을 써본다.

"사랑하는 讀者님께

우리의 삶이 어디에서건 사는 방식은 별 차이가 없죠. 내가 어디에 있던 나는 바뀌지 않으니까요. 그것은 결혼해도 마찬가지입니다. 결혼의 여부와 상관없이 내 삶은 내가 꾸려나가는 거니까요. 스스로 여백을 찾지 않으면 아무도 만들어 주지 않아요. 지금은 신혼여행 중이니, 온전히 그 시간을 즐기고 오세요. 지금은 여백보다 멋진 추억으로 가득 채울 때입니다."

19일. 동사의 맛 - 마음을 움직이는 글쓰기

여러분이 자주 쓰는 동사를 살펴봅시다. 얼마나 자주, 얼마나 폭넓게 동사를 활용하고 계신가요? 동사는 사람이나 사물의 동작을 뜻합니다. 형용사와 더불어 용언이라고 불리기도 합니다. 용언은 뭔가요? 문장에서 서술어 역할을 하는 것이 용언이죠?

서술어를 잠깐 살펴볼까요? 먼저 형용사 '좋다'를 서술어로 표현해 보겠습니다.

→ 나는 지금 기분이 최고로 좋다. (네이버 사전 참고)

형용사는 명사 앞에서 명사를 꾸미는 보조적인 형태로도 사용할 수 있습니다.

→ 당신은 참 좋은 사람이야. (네이버 사전 참고)

다음은 동사를 살펴볼까요? '다녀오다'를 서술어로 표현하면

→ 방학을 맞아 시골집에 다녀오다. (네이버 사전 참고)

동사 역시 명사 앞에서 명사를 꾸미는 역할을 수행합니다.

→ 여행을 다녀온 뒤 기행문을 쓰다. (네이버 사전 참고)

교정의 대가 김정선 작가는 동사에 대해 음식의 육수나 양념이라고 표현합니다. 육수가 진하지 않거나 양념이 충분

하지 않다면 감칠맛이 나지 않겠죠? 이렇듯 우리 말에서 형용사와 동사는 MSG와 유사한 역할을 수행합니다. 그중에서도 문장의 꽃은 동사라 하겠습니다.

미션 수행 방법은 이렇습니다. 먼저 '위키낱말 사전' 사이트에 접속하여 한국어 동사 분류에 속하는 문서를 살펴봅니다. 아래 링크로 이동하시면 약 200개의 한국어 동사를 확인하실 수 있습니다.

https://bit.ly/3YIVnzm

200여 개의 동사 중에서 나에게 낯선 동사 5개를 찾아냅니다. 문장 첫 줄에 동사를 나열합니다. 필요하다면 사전을 뒤져서 동사의 뜻을 확인합니다.

찾아낸 동사 5개를 사용하여 글 한 편을 써 봅니다. 내용은 자유롭게 에세이로 써 봅니다. 다만 주제가 마음을 움직이는 글쓰기인 만큼, 한 사람을 생각하고 그 사람의 마음을 어떻게 변화시킬 것인지 궁리하고 오직, 그 사람만을 생각하며 글을 씁니다.

미션: 찾아낸 동사 5개를 사용하여 글 한 편을 써 봅니다. 다만 주제가 마음을 움직이는 글쓰기인 만큼, 한 사람을 생각하고 그 사람의 마음을 어떻게 변화시킬 것인지 궁리하고 오직, 그 사람만을 생각하며 글을 씁니다.

20일. 지금 생각나는 단어 마구 쓰기

오늘의 미션은 '지금 생각나는 단어에 대해 마구 글쓰기' 입니다. 다른 말로 하면 의식의 흐름대로 쓰기가 될 수도 있 겠네요.

글을 써야 한다고 마음을 먹어도 망설이다 포기하는 경우 가 많습니다. 이웃 한 명 없는 블로그이지만 그곳에 글을 쓰 려고 해도 우리는 두려움에 빠집니다. 공적인 공간에 글을 쓴 경험이 없기 때문입니다. 글은 타인에게 보여주는 것을 목표로 합니다. 그들의 평가나 피드백은 논외 사항입니다. 그런데 그 타인이 불특정 다수입니다.

글쓰기가 두려운 이유는 누가 내 글을 읽을지 예측할 수 없고, 타인이 어떤 의견을 남길지 두려워하기 때문입니다. 우리는 그런 식으로 마음에 괴물 하나를 키웁니다. '나는 글 쓰는 재능이 없어'라는 재능 괴물, '며칠 못 가서 주저앉을 거야'라는 포기 괴물, '이딴 쓰레기를 썼냐고 욕만 처먹게 될 거야'라는 열등감 괴물. 글쓰기는 여러분이 키운 괴물을 물 리치는 일입니다.

일기장에 글을 쓴다고 가정해 봅시다. 맞춤법이든, 비문이든, 수동태든, 번역체든 신경 쓸 이유가 전혀 없습니다. 그저 의식의 흐름대로 생각을 받아 적으면 끝납니다. 하지만 공적인 공간에 쓰는 글은 다릅니다. 타인의 시선을 의식하는 순간 단단한 콘크리트 벽이 여러분의 시야를 가로막습니다. 누가 읽을지, 어떤 평가를 받을지 두려운 나머지 차라리 안 쓰는 걸 택하고 말기도 합니다. 여러분의 부끄러움이 구름 위로 상승하려던 용기를 끌어 내립니다. 역사는 시작도 하지 않고 끝이 나고 맙니다.

글을 쓰는 사람은 이러한 무서운 괴물을 물리친 사람이며 구름 속을 비행하는 사람입니다. 여러분이 펼칠 자유의 날갯짓을 기대합니다.

오늘은 지금 이 순간, 떠오르는 단어 하나를 찾습니다. 그리고 그 단어에 대해 마구, 의식의 흐름대로 멈추지 않고 글을 씁니다. 맞춤법, 비문, 타인의 시선, 온갖 벽을 물리치고 한 번에 글을 씁니다. 타이머를 두고 약 30분 동안 몰입해봅니다. 완성되면 약 10분 동안 퇴고하고 바로 끝냅니다. 반드시 이 규칙을 지키셔야 합니다.

미션: 타이머를 두고 약 30분 동안 몰입해봅니다. 완성되면 약 10분 동안 퇴고하고 바로 끝냅니다.

21일. 퇴고 글쓰기

오늘의 미션은 3일 동안 쓴 글 중에서 한 편을 골라 퇴고 해봅니다. 퇴고의 절차는 아래와 같습니다.

1. 문장과 문장이 서로 자연스럽게 연결되었는지 점검

    1) 문장 ↔ 문장

    2) 문단 ↔ 문단

2. 중언부언 (한 얘기 또 반복하지 않았는지 점검)

3. 번역체의 문장을 사용하지 않았는지 점검(~로 인해,

4. 맞춤법 체크 (네이버에서 맞춤법 체크하면 간단한 검사기를 사용하실 수 있습니다. 또는 네이버 블로그 에디터 사용)

5. 비문 점검 (주어와 술어가 일치하는지)

6. 수동태 문장 점검

7. 번역체 문장 점검

8. 어휘 점검(사전에서 비슷한 뜻을 가진 다른 단어의 활용)

9. 감정을 표현하는 형용사의 과다한 사용 제거

10. 부사의 제거 (필요 없는)

미션: 3일 동안 쓴 글 중에서 한 편을 골라 퇴고합니다.

미션 예시:

손편지를 받은 게 언제였더라? 최근에 회사 동료에게 손 카드를 받았다. 팀의 막내 동료가 다른 팀으로 전직하며 팀원 모두에게 손편지를 썼다. 각 팀원이 자신에게 어떤 도움을 줬는지, 어떤 점이 감사했는지, 소중한 경험을 잊지 않고 꾹꾹 눌러 카드에 담았다. 가장 나이 어린 동료가 손글씨로 정성을 전달하니 신기했다. 우리 아이들이 제일 싫어하는 게 손글씨 쓰는 것이라 그 어려움을 누구보다 잘 안다.

샌프란시스코로 신혼여행을 떠난 새신랑이 보낸 손편지라. 과거 신혼여행이 파노라마처럼 스쳐 지나갔다. 당시는 신혼여행을 해외로 막 나가기 시작하던 시점이다. 친구 중에 태국으로 신혼여행을 다녀온 친구들이 한둘 늘어났다. 나도 해외로 갈까 잠시 생각했다가 포기했다. 신혼여행은 좀 편한 곳에서 쉬고 싶은데 두려운 첫 해외여행을 신혼여행으로 가고 싶지는 않았다. 그러곤 10년 후에 가족과 함께 해외여행 갈 거라 마음을 먹었는데 결국 그 꿈은 이루지 못했다. 그런 경험과 마음을 담아 새신랑에게 답장을 썼다.

사랑하는 讀者님께

　우리의 삶이 어디에서건 사는 방식은 별 차이가 없죠. 내가 어디에 있던 나는 바뀌지 않으니까요. 그것은 결혼해도 마찬가지입니다. 결혼의 여부와 상관없이 내 삶은 내가 꾸려나가는 거니까요. 스스로 여백을 찾지 않으면 아무도 만들어 주지 않아요. 지금은 신혼여행 중이니, 온전히 그 시간을 즐기고 오세요. 지금은 여백보다 멋진 추억으로 가득 채울 때입니다.

22일. 시를 산문으로 바꾸기

오늘의 미션은 시를 산문(에세이)으로 바꾸는 일입니다. 산문으로 바꾸라는 얘기는 분량을 늘이라는 얘기겠죠? 어떻게 해야 할까요?

시를 먼저 집중해서 읽어 봅니다. 시인은 왜 이런 문장을 전개했을까? 왜 이해 못 할 단어와 어울리지 않는 어휘를 반복해서 사용했을까? 불가능하지만 시인의 입장에서 생각해 봅니다. 물론 완벽히 이해 못 할 수도 있습니다. 하지만 시의 세계에 완벽함이 존재할까요? 시인의 복잡한 감수성을 그만의 언어로 담금질한 것일 뿐인데요. 그러니 우리는 부족하더라도 나만의 세상으로 시를 끌어들일 필요가 있습니다.

이해가 불가능하다면 이해할 수 있는 만큼만 이해하면 됩니다. 그 지난한 번역 과정을 통해서 우리의 감수성은 적어도 한 뼘만큼은 자라날 테니까요.

시 한 편은 그 자체로서 잘 짜인 각본입니다. 한 편의 정교한 드라마이자, 한 편의 완벽한 이야기의 집합체이기도 합니다. 시는 짧지만 함축적으로 다양한 뜻을 가집니다. 그리고 시에는 반드시 어떤 장면, 시인만의 심상이 숨어 있습니다. 그걸 발견하는 재미로 우리는 시를 읽습니다.

시를 몇 번 읽어보고 낭독도 해봅니다. 그 과정에서 시인의 숨결, 시인의 시선, 시인이 보는 풍경을 의식해 봅니다. 어떤 장면이 분명 떠오를 겁니다. 그 심상을 꽉 붙잡아 봅니다. 각 연마다 시인이 말하고자 하는 핵심을 유추합니다. 어떤 명사, 동사들을 길어 올릴 수 있겠죠. 그리고 그 단어들을 굴비 묶음처럼 서로 엮어 봅니다. 그리고 그 단어들을 조합하여 다시 긴 문장을 쓰는 것입니다. 마치 그림을 그리듯 시를 이해하면 시인의 시작 노트를 훔쳐보는 감각을 취득할 수도 있습니다.

물론 시를 산문으로 쓰는 과정에서 여러분만의 상상력, 이야기가 배합되겠죠. 시인의 원본과 여러분의 이야기가 서로 버무려지는 것입니다. 멋진 음식 하나가 만들어지는 것이지요. 산문이라고 정의했지만 분량은 제한이 없습니다. 1,000자가 될 수도 2,000자가 될 수도 있겠지요. 자유롭게 산문을 써 보시기 바랍니다. 시를 산문으로 바꾸는 연습을 하다 보면 산문을 쓸 때 분량 때문에 힘들어하던 그 괴로움에서 벗어날 수도 있겠습니다.

미션: 여러분이 좋아하는 시 한 편을 선택해 산문(에세이)으로 바꾸어 씁니다.

23일. 산문을 시로 바꾸기

오늘의 미션은 산문(에세이)을 시로 바꾸는 일입니다. 어제와는 반대로 미션을 수행하면 됩니다. 자, 제가 왜 산문을 시로 바꿔보는 미션을 여러분에게 던졌을까요? 단순히 어제, 시를 산문으로 바꿔봤으니 반대의 경험을 해보자는 차원에서 미션을 골랐을까요?

저는 시 쓰기가 글쓰기 연습의 최전선에 서서 글 쓰는 사람의 마음을 단련하게 만든다고 믿어요. 시는 우리의 글쓰기 근육을 기르게 만들죠. 시의 세계는 어마어마하게 넓죠. 우리의 인생을 포괄하는 것이 시이기도 하고요. 시의 메타포, 즉 비유와 은유를 실전 체험하게 되는 기회를 얻게 됩니다. 시는 읽는 것도 어렵지만 쓰기는 더 어렵다고 얘기하죠. 어려운 이유는 뭘까요? 우리가 그만큼 시와 멀리 떨어져서 살았기 때문일 것입니다. 시와 친한 사이가 아니었기 때문에, 먼 친척 사이쯤으로 여기며 살았기 때문에 어려운 것이죠.

산문으로 시를 바꿔 쓰게 되면 시 쓰는 게 조금은 쉬워질지도? 상상의 세계를 직접 만들어낼 필요가 없기 때문이죠.

이미 산문으로 구축된 세상을 조금 작게 꾸미거나 각색하면 되는 일이니까요. 그 해체와 재구성의 작업이 물론 쉽지는 않겠죠. 간단하면 누구나 시인이 될 수 있을 테니까요. 그리고 일종의 퇴고의 작업으로서 시 쓰기를 볼 수도 있겠죠.

나아가 산문을 시로 옮겨 보면서 시인이 되고 싶다는 불씨를 댕길 수도 있겠네요. 쓰지도 않으면서 시인이 되기를 바란다면 그건 공허한 욕심일 뿐이니, 시인이 되고 싶다는 꿈이 있다면 산문을 시로 옮겨보는 연습부터 해보는 것도 좋겠습니다. 그러니, 일단 쓰고 볼 일입니다. 치열하게 쓰는 경험을 겪어 봐야, 시가 무엇인지, 왜 시를 쓰고 싶은지 이유를 찾을 수 있을 테니까요.

산문을 시로 바꾸려면 산문을 읽어야 합니다. 그냥 읽는 게 아니라 전체적인 산문의 구조를 조망해야 합니다. 문단별로 의미를 작은 조각으로 분절하거나 흐름을 이해해야 합니다. 여기서 문해력이 가동되겠네요. 산문의 흐름과 구성, 작가의 생각을 이해하지 못한다면 그 산문을 작게 함축하는 일은 불가능하겠죠?

시는 느낌을 담아내는 일입니다. 산문에서 어떤 느낌, 일관된 느낌의 흐름을 간파해 봅니다. 그리고 그 느낌을 짧게 줄여보는데, 그때 비유와 은유가 활용되겠지요. 비유는 사전에서 '어떤 현상이나 사물을 직접 설명하지 아니하고 다른 비슷한 현상이나 사물에 빗대어서 설명하는 일'이라고 설명합니다. 은유는 사전에서 '사물의 상태나 움직임을 암시적으로 나타내는 수사법. 예로는 "내 마음은 호수요." 따위가 있다.'라고 합니다. 여러분의 감정을 비유와 은유를 통해서 간접 표현하는 경험을 이번 미션을 통해서 얻으셨으면 좋겠습니다.

미션: 좋아하는 산문을 선택해 시로 써봅니다.

미션 예시:
강세형 『나를, 의심한다』 중에서 '나는 당신에게 반하고 싶다'를 시로 작성

가로수길 젊은 아가씨 하나도 부럽지 않아
나이만큼 고상한 치마를 입거든
TV에 나온 적은 없지만
봄처럼 지나치는 외모야

옆으로 기울여야 나를 볼 수 있고
열광이라는 단어 잊은지 오래야
밤을 꼴딱 샌게 언제인가
내 이야기도 해보렴

그래도 말이야
젊은 마음이 있거든
드러내지 않았을 뿐이지
꼭꼭 감춰진 나를 찾아봐

그리고 나에게 반해봐

24일. 칼럼 읽고 정리하기

좋은 글을 쓰려면 먼저 좋은 글을 볼 줄 알아야 합니다. 좋은 글이란 사람마다 다르게 정의하겠지만, 평론가의 글은 충분한 검증 절차를 받은 편이니 읽어볼 만하다고 하겠습니다. 재미있는 것은 같은 글을 읽는 사람도 그 의미를 해석하는 것이 서로 달라진다는 데 있습니다. 깊이 글을 읽지 않은 탓도 또한 그 뜻을 해석하는 느낌의 높낮이도 각자 다르기 때문입니다. 그러니 다독하는 것보다 한 편의 글을 정독하는 게 더 중요하다고 볼 수 있겠습니다.

오늘의 미션은 칼럼 한 편을 읽고 체계적으로 정리하는 것입니다. 평론가의 정교한 패턴을 배워 나중에 글을 쓸 때, 활용하기 위해서입니다.

오늘은 쓰는 것보다 읽는 것에 집중합니다. 문장 하나하나를 깊이 새겨가며 읽고 평론가가 전달하고자 했던 의미를 파악해봅니다. 충분히 집중해서 읽었다면 그다음 단계에서는 문단별로 분석합니다. 각 문단의 키워드를 찾아보는 일이 되겠습니다. 그리고 각 문단의 키워드들이 서로 어떻게 연결됐는지 분석해봅니다. 서로 단절되었는지 부드럽게 흐름이 이어갔는지 말입니다.

　그리고 마지막 작업으로 평론가의 견해가 아닌, 여러분의 견해를 보여주세요. 짧게 쓰는 것도 좋고 평론가의 의견에 반하는(비판) 글을 쓰셔도 좋습니다.

　미션:

　1. 신형철의 문학 사용법 "소설, 시간과 공간에 대적하다"라는 칼럼을 최소한 3번 이상 정독합니다.

　– 칼럼 읽기 https://bit.ly/3YFST4R

　– 읽는 과정에서 이해되지 않는 단어를 모두 뽑아냅니다.

　– 주석으로 단어의 뜻을 정리합니다. (어느 곳에서 정보를 참고했는지 출처도 정리합니다.)

　2. 글을 입체적으로 분석합니다.

　– 문단이 몇 개로 구성되었는지 파악합니다.

　– 문단별로 핵심 키워드를 찾습니다. (단 1개만)

　– 발췌한 문단별 세부 키워드를 서로 연결합니다.

　– 연결이 잘 되나요? 단절된 느낌은 없나요?

– 문단 전체를 관통하는 핵심 주제 하나를 찾습니다.

3. 이제 글을 300자 이내로 요약합니다.

4. 나의 견해를 덧붙입니다. 그 어떠한 의견도 상관없습니다. 자유롭게 의견을 남겨주세요.

미션 예시:

소설은 시간과 공간을 다루기에 모든 일이 동시에 일어나거나 또 한 사람에게 일어날 수 없다고 믿는다. 반면 플롯을 정교하게 설계하여 시간을 비트는 박성원의 《하루》 혹은 시간에 집중해서 전통적인 선형적 서사를 보여주는 애니 프루의 《직업 이력》과 같은 단편 소설도 있다. 자기 일에 충실할 때도 전자는 삶이 연결되는 순간 최악이 될 수도 있고, 후자는 넓은 시야에서 보면 결국 제자리일 수도 있다고 말한다. 어떤 삶도 고립돼 있지 않다고 말할 때, 삶이란 고작 몇 페이지로 요약되는 것이라는 모순된 의견을 제시한다. 그게 삶이고 소설이다. (301자)

삶이란 무엇일까? 특정 공간 위를 지나가는 시간의 일부인가? 아니면 긴 시간이 지나도 고작 몇 페이지로밖에 요약

되지 않는 허무한 것인가? 수수께끼 같고 정답을 알 수 없는 삶을 우리는 소설이라는 형식으로 배워나간다. 모든 일이 동시에 일어나는 상황에도 시간과 공간을 통제하려 드는 인간의 삶은 욕심의 집합체일지도 모르겠다.

25일. 감정의 파고에 잠행하기

오늘은 에세이 한 편을 읽습니다. 이병률의 『혼자가 혼자에게』에서 한 편을 소개합니다. 차분하게 감정을 느껴봅니다.

감정은 사람을 설득하는 수단 중에서도 가장 의미 있는 역할을 담당합니다. 누군가를 설득하려면 논리적인 근거보다 마음을 흔들라고 말합니다. 여기서 말하는 마음은 상대방이 느끼는 감정이 되겠죠. 물론 논리를 설파하는 일도 중요하지만, 고대 철학자들은 파토스(Pathos)를 언급하며 감정에 호소하는 일도 중요하다고 강조한 바 있습니다.

논리는 증거, 객관적인 타당성을 뒷받침하는 자료가 힘을 실어주겠지만, 감정은 오직 이야기의 흐름과 상황 전개, 묘사로 의도를 전달해야 하므로, 문체의 역동성만으로 상대방을 설득시키는 측면이 강조된다고 봐야 하겠죠.

감정을 잘못 쓰면 역효과가 발생하기도 합니다. 독자가 감정선을 파악하기도 전에 과도하게 특정 감정으로 진입하려는 수단을 활용하거나(형용사의 남발) 분위기를 과장하게 되면 독자는 자신의 감정과 작가가 전달하고자 했던 감정을 동일시하지 못하고 결국 공감을 받지 못하게 되는 상황까지 연출하게 됩니다. 그러니 감정을 분명 활용해야 하는데, 어떻게 활용해야 할지 우리에겐 숙제가 남는 것입니다. 따라서 감정을 잘 다룬 모범적인 글을 읽고 작가가 어떻게 감정의 파고를 엮어가는지 관찰할 필요가 있겠습니다.

미션:

1. 이병률의 『혼자가 혼자에게』 중에서 "하루에 한 번 가슴이 뛴다' 에피소르를 정독합니다.

2. 문단별로 느낀 감정을 세밀하게 찾아봅니다.

3. 감정 그래프를 그려봅니다. (감정의 높낮이, 부정적인 감정의 최저값은 –10, 긍정적인 감정의 최대값은 10)

4. 에세이 한 편을 써봅니다.

– 분석한 감정의 파고에 따라 작가의 흐름과 유사한 패턴으로 글을 씁니다.

26일. 장면을 글로 스케치하기

오늘은 듣는 것과 보는 것 그리고 그 결과 끝에 심상에 착상된 어떤 장면을 이야기로 옮겨보는 연습을 해볼 겁니다.

좋아하는 영화 OST 영상 두 편을 선택하고 첫 영상을 먼저 시청하세요. 영상을 시청할 때, 시각적 요소보다는 청각적 요소에 집중해봅니다. 그러니까 듣는 측면에 몰입했으면 좋겠습니다. 청각에 집중하면서 떠오르는 단어, 감각, 느낌, 생각, 상상 위주의 단어들을 노트에 모두 기록해봅니다. 단어도 좋고 짧은 문장도 좋습니다. 머릿속에 잠시 안착된 단어들을 흘리지 않고 모두 적습니다. 마치 낙서하듯 무작위로 질서를 파괴하며 적습니다.

첫 번째 영상을 보고 떠오른 단어를 모두 기록했다면 두 번째 영상에서는 스토리텔링, 극적인 이야기 구성에 집중합니다. 그렇게 하기 위해 시각적인 요소와 장면의 연출 하나하나에 집중합니다. 등장인물, 풍경, 사건, 시대적 배경, 사물 그리고 그것들이 얽혀서 어떻게 이야기가 만들어졌는지 주의 깊게 봅니다. 한 번 보고 두 번, 또는 세 번 봅니다. 역시 이야기의 흐름, 중요한 장면, 인물의 선택 이러한 요소들을 노트에 적습니다.

첫 번째 작업과 두 번째 작업이 끝났다면 이제 기록된 두 가지 형태의 메모들을 조합하여 여러분만의 이야기를 구성해 봅니다. 줄거리 그대로 옮겨 적는 것도 좋고 이야기를 새롭게 창조하는 것도 좋습니다. 이제 영화를 잊어버리는 일이 남았습니다. 영화에 대한 고정관념을 완벽하게 지워버리고 새로운 이야기를 창조해봅니다. 여러분만의 새로운 소설 한 편을 써봅니다. 다만 짧게요.

미션: 좋아하는 영화 OST 영상 두 편을 선택하고, 차례로 본 후 새로운 이야기를 창조합니다.

27일. 그림보고 상상하기

그림을 보고 자유롭게 상상의 바다로 항해를 떠나봅니다. 내가 그림 속의 주인공이라면, 아니 주인공을 관찰하는 제3의 인물이라면 그 인물에게 어떤 생각, 행동, 미래를 주입하시겠습니까?

하지만, 먼저 해야 할 작업이 있습니다. 글쓰기의 기본은 묘사입니다. 여러분이 지금 보고 계신 장면을 있는 그대로 먼저 묘사합니다. 다른 사람에게 그림을 보여주지 않고도 그 장면을 다른 사람이 그릴 수 있다면 성공입니다. 글로서 다른 사람에게 장면을 보여주세요.

그다음 작업은 상상을 덧칠하는 것입니다. 주인공의 심정, 상황, 과거에 벌어진 사건, 미래에 닥칠 일, 그리고 주변 인물 등을 가공해 주세요. 여러분의 상상력을 이용해서 또한 자유롭게, 내면의 검열관이 방해하지 않도록 해주세요. 그 어떠한 이야기라도 좋습니다. 리얼리티가 아닌 환상적인 장면을 끌어내셔도 좋습니다. 여러분의 상상력을 구경하고 싶어요.

미션: 에드워드 호퍼 (Edward Hopper) Compartment C, Car 293, 1938 그림을 감상하고 상상해서 글을 씁니다. 아래 그림 영상도 참고하세요.

https://bit.ly/3YHasl7

미션 예시: 293번 차 객실 C호에서 만난 줄리아

어디론가 떠나고 싶었다. 무작정 열차에 올랐다. 종착역도 모른 채 즉시 탑승할 수 있는 293번 차 기차표를 구매했다. 객실은 온통 초록빛이었다. 빛바랜 2인용 소파에 몸을 싣고 첫 정거장에 내릴 거라 마음먹고 좌석을 찾아 이동했다. 반쯤 내려온 햇빛 가림막 밖으로 보이는 붉은 풍경이 연둣빛 벽면과 대비를 이뤘다.

　C호 객실에서 금발의 머리를 숨기기라도 하듯 챙이 넓은 검은 모자를 쓴 그녀를 봤다. 긴 소매 검정 원피스로 자신을 가리고 싶었을까? 홀로 다리를 꼰 채 잡지를 읽는 그녀 옆엔 다 읽은 듯한 문고판 책이 자리를 차지했다. 다른 사람이 옆자리에 앉지 말기를 바라는 마음처럼 보였다. 무슨 잡지

를 읽는 걸까? 그녀는 어디로 가는 걸까? 문득 그녀를 따라 내리고 싶었다. 무심한 창밖은 어느덧 노을로 가득했다. 내 자리를 찾는 것도 잊었다.

"무슨 책을 그리 열심히 보세요?"

"네?"

"안녕하세요? 전 에드워드라고 해요. 사실적인 그림 그리는 게 취미죠. 책 읽는 모습이 인상적이어서 실례를 무릅쓰고 말씀드려봅니다."

"아, 네 그냥 앉아있기 지루해서 잡지를 읽고 있었어요."

"창가의 배경과 객실이 대비를 이루는 가운데, 책을 읽는 여인의 모습이 또 다른 조화를 이루는데요. 제가 이 모습을 스케치해서 그림으로 완성해도 될까요?"

"그림은 어디에 사용하나요?"

"그냥 취미로 그려요. 돈을 벌겠다는 욕심보다는 순간을 포착하고 싶어서요. 지금 홀로 책 읽는 모습이 마치 제 마음을 대변해 주는 것 같아서요. 늘 저만의 공간을 꿈꾸는데 쉽지 않더라고요. 답답한 마음에 기차에 올랐는데 편안하게 책 읽는 모습에서 위안을 얻었어요. 어딘가 떠나는 자유도 느껴졌고요. 아마도 그림을 완성하면 많은 분이 힘을 얻지 않을까 싶어요."

"아 그런가요? 좋아요. 제가 어떻게 도와줄까요?"

줄리아라는 여인은 홀로 여행을 다니는 중이었다. 책도 읽고 음악도 들으면서 자신의 시간을 즐겼다. 그래서였을까? 그녀가 부러웠을까? 고독한 듯하지만 외로워 보이지 않던 그녀. C호 객실에서 독서를 즐기던 무채색 그녀. 그림으로 그녀를 완성했다. 무채색이 마음에 걸렸던 나는 4년 후 '밤의 사람들'이라는 제목으로 그녀를 화려하게 소환했다.

28일. 오늘, 나만의 밴을 꾸려봐요

어느 날, 유랑하는 삶을 살게 된 겁니다. 갑자기, 그냥 그렇게 노매드가 되어야 하는 운명을 맞은 겁니다. 떠돌아다니며 살아야 하는 상황에 직면하게 된 거죠.

만약, 집 없는 삶, 그러니까 유목민의 삶을 살아야 하는 그런 기묘한 상황에 부닥친다면? 여러분은 어떤 선택, 앞으로 펼쳐질 난관을 어떻게 극복해 나가실 건가요? 목적 없이 여기저기 떠돌아다닐 건가요? 구체적인 목적을 가지고, 즉 계획하며 여러 도시를 여행하듯 즐기며 다니실 건가요?

그리고 밴 한 대에 살림, 즉 짐을 꾸려야 한다면 반드시 챙겨가야 할 물건들은 무엇일까요? 생각나는 대로 그 물건들을 모두 나열해 주세요. 그중에서 가장 소중한 물건 다섯 가지와 그 이유를 말씀해 주세요.

미션: 집 없는 삶, 그러니까 유목민의 삶을 살아야 한다면 여러분의 선택이 궁금합니다. 그 상황을 어떻게 극복해 나가시겠습니까? 또한 밴 한 대에 짐을 꾸린다면 꼭 챙겨가야 할 물건을 나열해 주시고 그중에서 소중한 물건 다섯 가지

에 대해 짧게 소개해 주세요.

미션 예시: 유목민의 삶을 살아야 한다면

오래전 일이다. 한식에 연중행사로 전국에 흩어진 시할아버지의 자손들이 지방의 산소에 모여 성묘를 지냈다. 멀리서 오기도 했고 서로 얼굴 보기도 힘들기에 친척들 모두가 큰 펜션을 빌려 1박 2일 보냈다. 그중 한 사촌 부부의 말이 인상적이었다.

"우리는 언제든 떠날 준비가 되어 있어요. 마음 내키면 그냥 떠나요. 트렁크에 여행에 필요한 걸 모두 싣고 다니거든요."

그 말을 들어서였을까? 나 또한 언제든 떠나고 싶다고 생각했다. 어차피 잠시 머물다 떠나는 게 우리의 인생 아니던가?

나는 미니멀 라이프를 실천 중이다. 작년에 기존에 살던 아파트에서 1/2 이상 적은 곳으로 이사 왔다. 10년 이상 사용하던 원목 가구를 대부분 버렸다. 입지 않는 옷과 사용하지 않는 가방은 큰 봉지로 다섯 개가 넘었다. 사용하지도 않을 물건들을 너무 오래 지니고 살았다.

유목민의 삶을 누린다면 전 세계 도시에서 한 달씩 살고 싶다. 내 버킷리스트 2호다.

버킷리스트 2: 가족 해외여행 (은퇴 전: 매년 1회, 은퇴 후: 1개월씩 한 도시에서 현지인처럼 살기)

밴 한 대에 살림, 즉 짐을 꾸려야 한다면 반드시 챙겨가야 할 물건 다섯 가지는 무엇일까?

1. 노트북: 글을 써야 하니 노트북은 필수템이다. 1개월씩 한 도시에서 현지인처럼 살아도 최소한의 수입은 필요할 것이고, 기록도 남겨야 한다. 노트북으로 글을 써서 기고하거나 책을 내며 인세로 살 것이다.

2. 스마트폰: 원해서라기보다는 어쩔 수 없이 필요하겠지? 부모님이나 지인들과 연락도 해야 하고, 눈으로 보는 멋진 풍경을 순간 포착해야 하니까.

3. 책: 이 시점에서 갈등이 생긴다. 책을 가져가긴 해야 할 텐데 어떤 책을 선택해야 할까? 두고두고 읽을 만한 책이 무엇일까? 2020년 연말에 선정한 인생 책 20권을 다시 봤다. 《미움받을 용기》, 《12가지 인생의 법칙》, 《죽음의 수용소에서》, 《아티스트 웨이》 중에서 노마드의 삶에 힘이 될 만한 《아티스트 웨이》를 선택하겠다.

4. 운동화: 어디를 가더라도 산책은 할 거라 편한 운동화

역시 필수템이다. 매일 1시간 4km 걷기는 어디에 있든 계속
할 거다.

5. 요가 매트: 매일 20-30분 스트레칭을 한다. 요가 매트
없이는 할 수 없다. 이 역시 어디를 가더라고 계속할 거라.

너무 식상한가? 하지만 난 이상적이 아닌 현실적인 사람
이라 어쩔 수 없다. (MBTI S 유형) 사실 이 다섯 가지로도
충분하다는 생각이 든다. 사실 아무것도 없이 떠돌면 어떠
랴.

29일. 멋진 삶을 살아가는 방법

여러분은 현재 삶을 멋지게 살아가고 계시나요? 멋지다, 라는 형용사를 접하면 어떤 생각이 먼저 찾아오나요? 음, 멋진 삶이란 과연 무엇일까요? 물질적으로 부족함이 없는? 출세하는 것? 이를테면 작가로 성공하는 것? 사소한 일에서 행복감을 자주 느끼는 것? 내가 하고 싶은 일에 지금 뛰어드는 것? 싫은 일을 하지 않는 것? 좋아하는 사람과 함께 최선을 다하는 것?

멋지다, 는 '보기에 썩 좋다'라는 뜻을 가지고 있지만 해석은 각자에게 다른 형태로 나타나겠죠. 여러분만의 멋진 삶이 궁금해요.

멋진 삶을 이루기 위한 버킷리스트 10가지를 적어주세요. 그리고 그중에서 다섯 개를 지워주세요. 마지막으로 단 한 가지만 남겨주세요. 마지막에 무엇이 남았나요?

올해가 가기 전에 그것을 이루기 위해 여러분은 무엇을 어떻게 실천하시겠습니까? 여러분에 남은 마지막 버킷리스트와 그 목표를 이루기 위한 실천 방안을 보여주세요.

미션: 멋진 살아가기 위한 구체적인 방안을 보여주세요.

미션 예시: 일과삶 작은 책방에 놀러오세요

과거 나의 버킷리스트 8가지는 아래와 같다.

▶ 버킷리스트 1: 출간 기념회

▶ 버킷리스트 2: 가족 해외여행 (은퇴 전: 매년 1회, 은퇴 후: 1개월씩 한 도시에서 현지인처럼 살기)

▶ 버킷리스트 3: 4년제 대학생이 되어 캠퍼스 누비기

▶ 버킷리스트 4: 피터 드러커처럼 죽을 때까지 배우고 일하기

▶ 버킷리스트 5: 대학교수 혹은 산업 강사 되기

▶ 버킷리스트 6: 은퇴 후 KOICA 자원봉사 참여하기 (ODA 활동)

▶ 버킷리스트 7: 일과삶 북카페 오픈

▶ 버킷리스트 8: 일과삶 커뮤니티센터 오픈

다시 돌아보고 10가지로 고쳐본다면

▶ 버킷리스트 1: 출간 기념회 - 기념회까지는 아니지만 북토크를 했으니 무엇보다 책 내는 게 더 중요했다.

▶ 버킷리스트 2: 가족 해외여행 (은퇴 전: 매년 1회, 은퇴 후: 1개월씩 한 도시에서 현지인처럼 살기)

▶ 버킷리스트 3: 4년제 대학생이 되어 캠퍼스 누비기

▶ 버킷리스트 4: 피터 드러커처럼 죽을 때까지 배우고 일하기

▶ 버킷리스트 5: 대학교수 혹은 산업 강사 되기

▶ 버킷리스트 6: 은퇴 후 KOICA 자원봉사 참여하기 (ODA 활동)

▶ 버킷리스트 7: 일과삶 작은 책방 오픈

▶ 버킷리스트 8: 일과삶 커뮤니티센터 오픈

▶ 버킷리스트 9: 매년 기획 출판으로 책 한 권씩 내기

▶ 버킷리스트 10: 매년 1회 이상 글쓰기 공모 도전하기

여기서 5개를 지운다면

▶ ~~버킷리스트 1: 출간 기념회~~ – 기념회까지는 아니지만 북토크를 했으니 무엇보다 책 내는 게 더 중요했다.

▶ ~~버킷리스트 2: 가족 해외여행~~ (은퇴 전: 매년 1회, 은퇴 후: 1개월씩 한 도시에서 현지인처럼 살기) – 코로나로 당분 간 어려웠고 이제는 시간 맞추기도 어려우니

▶ 버킷리스트 3: 4년제 대학생이 되어 캠퍼스 누비기

▶ 버킷리스트 4: 피터 드러커처럼 죽을 때까지 배우고

일하기

▶ ~~버킷리스트 5: 대학교수 혹은 산업 강사 되기~~ – 이미 시간강사를 해봤으니

▶ ~~버킷리스트 6: 은퇴 후 KOICA 자원봉사 참여하기 (ODA 활동)~~ – 이건 좀 현실 가능성이 부족해서

▶ 버킷리스트 7: 일과삶 작은 책방 오픈

▶ ~~버킷리스트 8: 일과삶 커뮤니티센터 오픈~~ – 이건 좀 현실 가능성이 부족해서

▶ 버킷리스트 9: 매년 기획 출판으로 책 한 권씩 내기

▶ 버킷리스트 10: 매년 1회 이상 글쓰기 공모 도전하기

꼭 한 개를 남긴다면 현재로서는 가장 가능성도 크고 많은 걸 얻을 수 있는 버킷리스트 7호를 선택하겠다.

▶ 버킷리스트 7: 일과삶 작은 책방 오픈

작은 책방을 열면 여기서 글도 쓰고(10호), 책도 내고(9호), 죽을 때까지 배우고 일할 수 있으니(4호) 말이다. 이곳에서 독서 모임도 하고 글쓰기 수업도 하고 지인들과 차도 마실 거다. 일과삶 작은 책방을 열면 브런치 구독자 및 블로그 이웃들은 꼭 방문해서 일과삶과 차 한 잔 마시고 책도 구경하며 쉬었다 가시길.

30일. 나에게 딱 맞는 집

여러분의 주거 환경, 오늘은 집에 대해 생각해 보고 글을 쓰는 날입니다. 집은 각자에게 어떤 의미가 될까요? 잠을 자고 요리를 하거나 또는 개인적인 여가를 보내는? 가족과 대화를 나누는 공간인가요? 아니면 고독한 시간을 보내는 공간인가요?

어떤 사람에게 집이란 생존을 위한 수단이 되겠지만 집이 없는 사람(노숙자)에게는 꿈 같은 공간이 될 수도 있겠죠. 물론 집을 물질적인 가치로 볼 수도 있을 거예요. 그런 시각으로 집을 바라본다면 몇 제곱미터(평)가 여러분에게 적당할까요? 지리적 조건(자연 친화적 조건), 브랜드(아파트), 넓은 평수, 인테리어 등 이런 외적인 요소를 따지게 되겠죠.

아니면 사랑하는 사람과 함께 하는 편이니까, 공간 자체는 큰 의미가 없다고 생각할 수도 있고요. 같이 있는 거 자체가 소중할 테니까요.

비용적인 측면을 고려해 볼까요? 여러분은 집에 얼마나 많은 돈을 소비하고 계신가요? 소비보다는 투자라는 목적이 어울릴까요? 아니면 실용이라는 단어가 더 어울릴까요?

여러분은 버는 돈의 80% 이상을 집에 투자하고 계시지는 않나요? 돈이 집에 묶여버리는 바람에 정작 돈을 써야 할 곳에 쓰지 못하는 현상이 벌어지는 건 아니죠? 그래서 삶의 질이 떨어지는 현상이 벌어지는 건 아닌지.

대한민국에서 살아가는 우리에게 집은 어떤 의미를 차지할까요? 부의 상징일까요? 안식처의 상징일까요? 여러분이 원하는 그러니까 만족할 만한 너비는 얼마나 될까요?

미션: 여러분이 생각하는 이상적인 주거 환경, 집에 대한 생각을 보여주세요. 그리고 그 집이 여러분에게 어떤 의미가 되는지도요.

미션 예시: 작은 방 한 칸

자취하는 대학원 동기의 원룸에 놀러 간 적이 있다. 수납 공간을 적극 활용하여 아기자기하게 꾸민 작은 방에서 커피를 마시며 담소를 나눴다. 원룸에서 살고 싶다고 생각했다. 손만 뻗으면 원하는 것을 집을 수 있고, 청소도 간단한 작은 집. 한 번도 원룸에서 살아 본 적이 없던 나는 동기가 부러웠다.

거주하는 동네와 아파트 평수로 인격을 가늠하는 시대에

반항한다. 개인이 일해서 버는 돈보다 부동산 투자로 버는 돈이 수백 배 많은 사회를 거부한다. 정상적인 기업활동보다는 부동산으로 수익을 내는 기업이 없길 바란다.

회사와 가까운 곳에 원룸을 얻고 걸어서 출퇴근하고 싶다. 그 누구의 간섭도 원하지 않는다. 사용하고 둔 물건은 시간이 지나도 계속 그 자리에 머무르길 바란다. 간소한 살림으로 미니멀 라이프를 즐기다 언제 어디로든 가볍게 떠나길 꿈꾼다.

작은 방 한 칸, 나에게 딱 맞는 집이다.

31일. 눈 부시게 아름다운 어느 여름 날

그대의 여름날은 시들지 않으리라. 그대의 아름다움도 시들지 않으리라. 죽음도 그대가 제 그늘 밑에 있다고 하지 못하리라.

- 프란시스 맥도맨드

오늘은 여러분의 인생에서 가장 빛나던 어느 여름날, 눈부시게 아름다운 순간을 떠올리며 글을 씁니다.

여러분은 지금 이 순간, 인생의 봄날을 시작하고 계신가요? 절정의 여름날을 보내고 계신가요? 아니면 앞으로 빛나게 될 어느 날을 기다리고 있나요?

여러분이 빛나던 어떤 순간 혹은 앞으로 빛나게 될 어떤 순간을 떠올려 봅니다. 그 순간은 과거에서부터 혹은 지금 이 순간까지 물론 미래에 찾아올 수도 있겠습니다.

미션: 아름다운 한때, 여러분의 인생을 아름답게 만드는 어떤 기억 혹은 미래에 대한 기대, 이런 생각을 담아 글을 써봅니다.

미션 예시: 나는 아직 성장 중이다

▶ Everyday in every way I'm feeling better and better.

▶ There is still more of my life ahead of me than behind me.

▶ I'm not over the hill yet.

▶ I'd like to raise my bar.

나를 잘 표현하는 글이다. 수첩에 항상 가지고 다니며 늘 마음을 다잡는다. 공통점이 있다면 "내 전성기는 아직 오지 않았다" 정도가 아닐까? 어쩌면 너무나 당연한 이야기다. 앞으로 어떤 좋은 일이 펼쳐질지 모르니 언제가 전성기라고 말할 수 없다. 지금, 이 순간 가지고 있는 경험과 지식보다 내일 조금이라도 더 경험할 것이고, 조금이라도 더 지식을 얻을 것이다. 나에게 전성기는 경험과 지식의 총합, 즉 성장의 최고점이다. 그러니 나는 아직 성장 중이다.

사람들로부터 "당신이 쓴 책 가운데 어느 책을 최고로 꼽습니까?"라는 질문을 받을 때면, 나는 웃으며 "바로 다음에 나올 책이지요"라고 대답한다. 웃으며 대답하긴 하지만 결코 농담은 아니다. 나는 베르디가 여든 살이라는 나이에도 늘 자신을 피해 달아나는 완벽을 추구하면서 오페라를 작곡했던 그때 그 심정으로 대답한 것이다. 비록 지금 내 나이가 폴스타프를 작곡할 당시의 베르디보다 많긴 하지만, 나는 여전히 앞으로 몇 권의 책을 더 쓸 계획을 갖고 있다. 그리고 바라건대, 앞으로 나올 책들은 과거에 나왔던 책들보다 더 나을 것이고, 더 중요한 책으로 읽힐 것이고 그리고 조금이나마 더 완벽하게 될 것이다.

– 피터 드러커 『프로페셔널의 조건』 중에서

이런 생각을 하게 된 가장 큰 이유는 피터 드러커 덕분이다. 『프로페셔널의 조건』을 읽은 후부터, 그는 나의 롤모델이 되었다. 피터 드러커는 97세의 나이에 임종을 앞두고, 셰익스피어 전집 재독을 완료했고 새로운 책을 기획했다. 그야말로 말과 행동이 일치한 석학이었다. 내 버킷리스트 중 하나는 "피터 드러커처럼 죽을 때까지 배우고 일하기"다. 배우고 일하는 것이 직장 일이 될지, 작가로서의 삶일지는 아직 잘 모르겠다. 중요한 것은 뭐든 멈추고 싶지 않은 성장 욕구다. 그처럼 꾸준히 책을 낼 예정인데 "바로 다음에 나올 책"을 최고로 꼽는 작가가 되고 싶다.

성장 욕구를 채워 줄 또 다른 버킷리스트 중 하나는 "4년

제 대학생이 되어 캠퍼스 누비기"다. 꼭 4년제여야 하고 캠퍼스가 있어야 한다. 최대한 길게 다니고 싶기 때문에 4년제이어야 하고, 정말 캠퍼스를 누비고 싶기 때문에 미안하지만 사이버 대학교는 사절이다. 대학 시절이 그리울 때가 있다. 꿈에서도 가끔 대학으로 돌아가 캠퍼스를 누비고, 강의실에서 수업을 듣는다. 파릇파릇한 도서관 앞 잔디밭에서 누워 책도 읽고, 친구와 대화도 나누며 캠퍼스의 낭만을 느끼고 싶다. 문과 적성이지만 이과 과목을 전공한 사람으로서 문예창작, 심리학 공부도 하고 싶다. 아니면 예대로 가서 디자인, 미술, 건축학, 음악도 배우고 싶다. 어떤 전공을 하겠다고 정하진 않았지만 언젠가 학생 신분으로 캠퍼스를 누비는 게 꿈이다. 혹시 누가 알겠는가? 미술을 전공해서 직접 그린 그림과 함께 책을 낼지?

이런 꿈에 영감을 준 작가는 『배우고 익히면 즐겁지 아니한가』의 저자 사토 도미오다. 그는 57세의 나이에 20대에 졸업하지 못했던 와세다 대학 경영학과에 재입학했다. 60대에 MBA를 졸업하고, 사진을 제대로 배우고 싶은 마음에 교토 기술원에서 사진을 배워 70세에 개인전을 열기까지 했다. 78세에 고고학과 자연과학을 배우면서 더 많은 에너지와 즐거움을 얻었다고 한다. 평균수명도 늘어났으니 노년에 학습을 즐기면서 삶을 누릴 시대가 왔다.

굴곡은 있었지만, 인생의 오르막을 완만하게 올라가는 중이다. 언제가 정점일지 모르겠다. 나락으로 떨어지는 순간이 올지도 모른다. 그렇게 되지 않으려고 차곡차곡 계단을 다지며 오늘도 오른다. 내 전성기는 아직 오지 않았다. 부족한 것은 무엇인지, 무엇을 더 채워야 할지, 무엇을 더 나눠야 할지, 어떻게 함께 올라갈 수 있을지, 성장은 늘 내 화두다. 나는 아직 성장 중이다.

여러분에게 성장은 어떤 의미인가?

피터 드러커 처럼 죽을 때까지 완벽을 추구하고 싶은가?

아니면 사토 도미오 처럼 다시 학교로 돌아가서 공부하고 싶은가?

32일. 우리는 어디에서 와서 어디로 가는가?

글을 쓰면 관찰에 관심을 두게 됩니다. 관찰은 본다는 것이죠. 물론 보는 것을 넘어서 그 대상을 내면에 각인시키고 소화하고 재해석하는 과정이 글 쓰는 사람에겐 아주 중요합니다. 하지만 세상을 내 것으로 옮겨오는 과정에서 가끔 혼란을 겪습니다. 써야 한다고 의식을 깨우지만 마음대로 그것이 작동하지 않는 편입니다. 마음을 건드려 보고 강력한 주문을 외워도 변함없습니다. 생각이 한곳에 단단하게 붙들려 있는 것입니다. 늘 한 곳으로 생각이 기울어져 버립니다.

그런 관성적인 흐름, 늘 일정한 패턴으로 반응하는 생각을 관망할 때마다 문득 존재의 원천을 떠올리게 됩니다. 나라는 인간은 어떤 재료로 만들어진 걸까? 왜 나는 늘 한 가지 생각을 의식하는 걸까. 도대체 그 문제는 왜 해결되지 않고 앙금처럼 남아서 나를 계속 괴롭히는가. 나는 어디에 있고 앞으로 어느 곳으로 가야 하는가.

어쩌면 이런 질문, 근원적인 질문이 찌꺼기처럼 남은 탓에 우리는 구체적인 질문에 머뭇거리거나 스스로 멀어질지도 모르겠습니다. 그런 문제들을 무시하고 방치하고 원래 없는 것이라고 여겨도 중요한 순간마다 고개를 쳐들고 우리에게 질문합니다. 우리는 어디에서 왔고 지금 이 순간 어디로 가는지, 라고.

세상은 마치 평면의 조합인 것 같습니다. 평면적으로 보고 평면적으로 사고하는 평면적인 인물이 인간일 지도요, 그런 태생적인 한계를 뛰어넘으려 노력하는 것, 그것이 어쩌면 글쓰기의 궁극적인 목적일지도 모르겠습니다. 또한 그 질문과 질문에 반응하는 순간, 우리는 평면적인 삶을 떠나 보다 입체적인 삶으로 인도되는 방법이 아닐까요. 바로 우리의 존재가 어디에서 어디로 가는지, 진지하게 묻는 이유가 아닐까요?

우리는 부모로부터 시작됐으나 부모에게 속하지 않는 자유로운 존재입니다. 그렇다면 우리는 어디로 가야 하는지, 자유 의지대로 항해할 자격과 기술은 갖추었나요. 무엇을 신뢰할 수 있고 무엇을 버릴 수 있나요. 우리에게 도움을 줄 사람은 누구이고, 우리는 어떤 자격을 갖추었는지요. 미지의 세계에 대한 두려움, 생과 사의 충돌, 현재에서 채워지지 않는 포만감을 안고 우리는 미래로 갑니다. 흔들거리며, 난파하면서.

무언가를 사랑하는 이유가 뭡니까? 소명을 느끼는 겁니다. 궁극적인 질문을 향한 소명이지요. 나는 어떤 사람이지? 나는 뭐지? 나는 왜 이곳에 있지? 인간은 의미를 필요로 합니다. 그래요 그건 소명이었어요. - 에릭 와이너

오늘은 여러분의 인생을 회고해봅니다. 여러분이 태어난 시점부터 현재, 그리고 앞으로 그려야 할 미래에 이르기까지, 그래프를 그려보는 것도 좋겠습니다. 미래를 대비하려면 과거와 현재까지 삶을 돌아보는 과정이 중요할 것 같습니다. 그래야 과거의 선택을 거울삼아 미래를 예상해 볼 수 있을 테니까요. 여러분의 인생 그래프를 그려보세요. 어떤 일을 하게 될까요? 부정하고 싶은 과거가 혹시 있나요? 그 과거도 여러분의 것입니다. 외면하지 마세요. 미래를 창조하고 싶다면 과거 역시 잘 돌봐야 합니다. 나는 과거에서 왔고 계속해서 미래로 가는 중이니까요.

미션: 앞으로 어떤 모습으로 살기 원하십니까? 여러분의 최종 목적지는 어디인가요?

미션 예시: 무(無)에서 와서 무(無)로 가는

나는 무(無)에서 와서 무(無)로 갈 것이다.

가끔 죽음을 떠올린다. 지금 이 순간 내가 사라진다면 어떻게 될까? 남겨진 기록과 물건들로 남은 사람들은 나를 어떤 사람으로 기억할까? 나를 어떻게 평가할까?

죽음을 생각해 본 적이 없었지만, 언제부터인가 두렵지 않게 되었다. 당장 죽는다 해도 별 후회는 없다. 나름 해보고 싶은 것도 다 해보고, 최선을 다해 살았다고 생각한다. 죽기 전에 책 한 권 내는 게 유일한 소망이었는데 그 또한 이루었으니. 내가 없는 세상에 조그맣게나마 흔적을 남기고 싶었다. 그게 선한 영향이면 더 좋겠다.

스티브 잡스가 말한 dent(움푹 들어간 곳)가 아닐까? 발자취, 족적, 자취라고들 번역하지만 '흔적'이 자연스러워 보인다.

"We're here to put a dent in the universe. Otherwise why else even be here?"
- Steve Jobs

우리는 우주에 흔적을 남기려 태어났다. 그렇지 않으면 여기 존재할 이유가 없지 않은가?

– 스티브 잡스

일과 삶에서 배움과 성장을 멈추지 않은 당신

우리 모두에게 선한 영향을 미치고

우리 마음 속에 잠들다.

– 일과삶

33일. 연명 치료 계속하시겠습니까?

노인의 85% 이상이 연명치료를 반대한다고 합니다. 무의미하게 삶을 영위하고 싶지 않다는 얘기겠지요. 알고 계신지 모르겠지만 국내에서 존엄사 제도는 2018년에 시작했습니다.

존엄사 제도는 회생 가능성이 희박한 사람, 사망에 가까운 사람에게 더 이상의 심폐소생술, 투석, 항암제 투여 등의 생명 유지를 위한 의료 행위를 쓰지 않겠다고 서약서를 작성하는 것입니다. 현재 31%에 달하는 환자들이 이 서약서(사전연명의료의향서)에 서명을 했다고 하네요.

우리 모두는 언젠가 죽게 되겠죠. 거의 모든 사람이 불치병에 걸리게 될 겁니다. 고통스럽게 죽어가느냐, 비교적 편안하게 생을 마감하느냐, 그런 선택은 우리에게 주어지지 않습니다.

저희 할머니는 주무시다 돌아가셨고 할아버지는 화장실에서 돌아가셨어요. 죽음이 단 한 번에 예고 없이 찾아온 거죠. 그렇다면 두 분은 고통 없이 삶을 고요하게 마감하셨을까요? 저는 알 수 없습니다. 돌아가신 분의 이야기를 들어본 적이 없으니까요.

하지만 죽음이 제 할아버지와 할머니의 방식과 달리 다른 형태로 찾아올 수도 있겠죠. 암이나 기타 불치병의 형태로 말입니다. 우리가 그런 상황을 맞게 된다면 어떤 선택을 하는 게 좋을까요? 무리하게 생을 유지하게끔 여러 가지 손을 끝까지 쓰는 게 좋을까요? 위의 서약서처럼 결단을 내리는 게 좋을까요?

미션: 연명치료에 대한 여러분의 현명한 생각을 듣고 싶어요.

미션 예시: 옳고 그름을 따지는 까칠하고 호기심 많은 블로거의 건의

네이버에서 검색해 보면 국입연명의료관리기관과 지식백과 결과가 나온다.

기관에 바로 들어가기보다 그 정의가 궁금해서 지식백과를 먼저 살펴보았다. 지식백과에서는 '나중에 아파서 회복 불가능한 상태가 됐을 때 연명의료를 받지 않겠다는 뜻을 미리 밝혀두는 서류'라고 정의했다. 의향의 뜻은 '마음이 향하는 바. 또는 무엇을 하려는 생각'으로 받을지 말지에 대한

의견을 밝히는 것인데 정의상으로 '받지 않겠다'는 걸 밝힌 다고 하니 뭔가 잘못된 느낌이었다.

국립연명의료관리기관에 방문하여 사전 연명의료 의향서를 다운받았다. 서류상에도 '본인은 「호스피스·완화의료 및 임종과정에 있는 환자의 연명의료결정에 관한 법률」 제 12조 및 같은 법 시행규칙 제8조에 따라 위와 같은 내용을 직접 작성했으며, 임종과정에 있다는 의학적 판단을 받은 경우 연명의료를 시행하지 않거나 중단하는 것에 동의합니다.'라는 내용을 담고 있다.

연명의료는 의향과 상관없이 당연히 이루어지기에 시행하지 않는 것을 '사전연명의료의향서'라고 표현하는 걸까? 그렇다면 서류의 제목을 '사전연명의료의향서'라고 명명하지 말아야 하지 않을까? 의견을 묻는 게 아니라 연명치료의 거부 혹은 중단을 받고자 하는 것이므로 '사전연명의료거부서'로 바꾸어 사용하길 건의한다. (ㅎㅎ 옳고 그름을 따지는 까칠하고 호기심 많은 블로거의 건의) 혹시 내가 틀렸다면 고쳐주길 바란다.

그나저나 인터넷상으로는 신청이 불가하다. 보건복지부의 지정을 받은 사전연명의료의향서 등록기관을 방문하여 충분한 설명을 듣고 작성해야 한다고.

'사전연명의료의향서를 작성하기 위하여 반드시 보건복지부의 지정을 받은 사전연명의료의향서 등록기관을 방문하여 충분한 설명을 듣고 작성해야 합니다. 등록기관을 통해 작성·등록된 사전연명의료의향서는 연명의료 정보처리시스템의 데이터베이스에 보관되어야 비로소 법적 효력을 인정받을 수 있습니다.'

34일. 집을 가지고 다닐 수 있다면

내가 답을 줄 수는 없지만 여기서 답을 찾기를 바랍니다.
자연과 사람들을 통해서.

밥 웰스, 영화 〈노매드 랜드〉

영화 〈노매드 랜드〉에서 맥도먼드는 집 없이 밴으로 살아가는 사람이죠. 밴이라면 어디든 원하는 곳에 갈 수 있으니 꽤 낭만적인 삶처럼 느껴지기도 하지만 한편으로는 불안한 삶을 의미한다고 볼 수도 있어요. 게다가 경제적인 여유가 없는 상황에서는 더욱더.

그런데 그런 경제적인 위기나 의료 문제 또는 위험한 상황은 잠시 밀어두고 오직 낭만적인 상황만 생각해 보는 건 어때요?

그런 상상을 해봐요. 밴을 꼭 있어야 하나요? 집을 옮기는 편은 어떨까요? 영화 〈Up〉에서처럼 집에 풍선을 가득 달아서 내가 원하는 곳으로 날아갈 수 있다면 어떨까요? 만약, 집에 풍선을 달아서 어디든 원하는 곳에 갈 수 있다면 여러분은 어디를 선택하시겠습니까? 상상의 날개를 집에 달고 날아가는 겁니다. 여러분이 원하는 곳으로요. 그곳을 묘사해

주세요. 그리고 왜 그곳으로 가고 싶으신지 이야기해 주세요.

미션: 상상으로 어디든 원하는 곳에 갈 수 있다면 여러분은 어디를 선택하시겠습니까? 왜 그곳으로 가고 싶으신지 이야기해 주세요.

미션 예시:

아이들이 어렸을 때 캠핑카를 타는 게 소원이었는데 그 꿈을 이루어 주지 못했다. 당시는 차박이 유행도 아니었고, 캠핑장도 많지 않다. 캠핑카를 렌트해서 여행을 다녀올 수도 있었는데 나에게 용기가 없었나 보다. 선뜻 행동에 옮기지 못하고 어영부영하다가 아이들이 커버렸다. 캠핑카를 타고 싶다던 말도 사라진 지 오래다. 나중에라도 추억 삼아 함께 캠핑카 여행을 가도 재미있겠다. 나는 아이들의 꿈을 이루어 주고 아이들은 동심의 세계로 돌아가지 않을까?

은퇴 후 전 세계 도시에 한 달씩 머무르며 현지인처럼 생활해 보는 게 꿈이다. 한 달짜리 집이 필요하겠다. 잠시 머무르다 또 다른 도시로 이동하니 나에게 집이 그리 큰 의미가 되지 않는다. 한국에서도 전국을 돌아다니며 그 동네 주민인 것처럼 살아보고 싶다.

언제든 가볍게 마음이 내키는 대로 어디로 떠나든 내 몸 하나면 충분한 삶을 바란다.

35일. 무엇이든 배울 수 있는
6개월 무료 쿠폰이 생긴다면?

여러분에게 6개월 동안 무료로 강의를 들을 수 있는 쿠폰이 도착했습니다. 가격은 제한이 없습니다. 그 어떠한 분야라도 상관없습니다. 국외든 국내든, 온라인이든 오프라인이든 원한다면 그 어느 곳에서도 사용이 가능한 아주 특별한 쿠폰이 여러분에게 주어진 것입니다.

6개월이라면 꽤 긴 기간입니다. (물론 짧을 수도 있겠지만) 코딩을 배우겠다고 마음을 먹는다면 파이선 언어 정도는 충분히 찝쪄먹을 만한 시간입니다.

6개월의 기회가 주어진다면, 이 시간 동안 여러분은 무엇을 배우시겠습니까? 6개월이라면 꾸준한 습관을 들일만한 좋은 기회가 될 수도 있겠네요. 무엇이든 꽤 잘하게 될 겁니다.

자기 계발, 새로운 습관 들이기, 새로운 학습, 건강한 몸만들기, 악기, 미술, 자격증 등 무엇이든 충분히 배우고 도전할 수 있는 시간입니다. 여러분이 전문가로 인정받을 수 있는 충분한 시간입니다.

고흐가 많은 그림을 그릴 수 있었던 것은 쉬지 않고 계속 작업해왔기 때문이라고 합니다. 반 고흐는 사실 태오로부터 무료 쿠폰을 받은 것이나 마찬가지죠. 여러분에게도 혹시 태오와 같은 형제가 있나요? 물론 없어도 문제없습니다. 여러분이 태오가 되는 것도…

누군가 그런 기회를 줄지도 모를 일이니까요. 그러니 그런 즐거운 상상을 하면서 어떤 아이템을 새롭게 배울지 구체적으로 계획을 써 봅시다. 이왕이면 여러분의 기분이 좋아지는 것으로 즐겁게 만드는 일로 계획해봅시다.

미션: 6개월 동안 무료로 강의를 들을 수 있는 쿠폰이 생긴다면 어떻게 활용할지 계획을 써주세요

미션 예시:

잠시 설레다 말았다. 나에게 필요한 건 돈이 아니라 시간이기 때문이다. 6개월간 무엇이든 배울 수 있는 무료 쿠폰에 시간까지 주어진다면 설레겠지?

어제 드디어 노매드랜드를 봤다. 한 달 반 전부터 2시간의 여유를 노렸으나 쉽지 않았다. 회사 일도 무척 바빴고 개인적으로도 여러 프로그램을 준비하고 진행했다. 그래도 난

아직 직장인인가 보다. 지난주 금요일 회사의 큰 행사가 끝나니 마음이 한결 가벼웠다. S기업 대상 교육도 2주 전에 1회차를 잘 마쳤고 이번 주에 2회차를 진행한다. 6월에 미리 다 업데이트해 두었기에 한 번 더 검토만 하면 된다. 도서관에서 진행하는 '우리 아이 글쓰기 완전 정복' 프로그램도 6월 한 달간 준비했고 지난주에 무사히 1회차를 마쳤다. 다행히 4분이 글을 제출해서 이번 주는 합평도 가능하다. 그래서 편한 마음으로 영화를 즐겼다. 밤 10시가 되어서야 본 것은 안 비밀.

가장 인상적인 부분은 "길에서 다시 만난다"는 대사였다. 회자정리 거자필반이라고 실제 영화에서도 펀은 노매드들과 헤어지고 또 길에서 만났다. 5년 전에 자살한 아들의 33번째 생일을 맞은 밥 웰스나 남편을 먼저 떠나보낸 펀 역시 언젠가 길에서 아들과 남편을 다시 만날 것을 믿는다. 자급자족하는 펀의 자유로운 모습에 부러움도 살짝 일었다.

그러거나 나에게 시간과 비용이 허락된 상태로 강의를 들을 수 있는 쿠폰이 생긴다면? 당장 해외로 가서 스킨스쿠버나 서핑 같은 수상스포츠를 배우고 싶다. 바닷가 근처 집에 거주하며 낮에는 수상스포츠를, 해 질 녘에는 해변에서 노을을 바라보고, 밤에는 파도 소리 들으며 책 읽고 글 쓰는 삶을 누리고 싶다. 과연 그런 여유 있고 자유로운 삶이 이번 생에 있을까?

36일. 나에게 영감을 주는 사람 혹은 물건에 대하여

여러분은 어떤 순간에 영감님을 영접하는 편인가요? 여기서 영감의 정의는 '창조적인 일의 계기가 되는 기발한 착상이나 자극'을 의미합니다.

여러분에게 영감을 주는 사람이나 혹은 물건이 있습니까? 주로 어떤 순간에 영감을 얻는 편인가요? 영감과 전혀 친하지 않나요? 나는 영감과 관련 없는 삶을 살아왔다고 생각하시는 건 아니겠죠?

영감은 물론 노력과는 큰 관련이 없습니다. 투자한 시간과 비례하지 않는다는 얘기입니다. 그럼에도 우리는 어떤 대상에게 지극한 관심을 갖고 그것에 열정을 기울입니다.

그런 작업이 반복되다 보면 언젠가 아하! 하는 순간이 찾아오겠죠. 창조란 그렇게 단순하고 의미 없는 일련의 기계적인 활동들이 모이고 쌓여서 이루어지는 작업이랍니다. 의식적으로 펼쳐지는 작용이 아니라는 얘기죠.

창조는 그런 면에서 영감과 밀접하게 닿아 있다고 보겠습니다. 세상이 없던 것을 창조한다는 것은 영감과 맞닿아 있

으며

그 영감이라는 것은 기계적인 반복이 만든다. 이렇게 재해석하겠습니다.

그러니 여러분이 지난하게 펼치는 어떤 노력 예를 들어, 독서나 그림 그리기 또는 글쓰기에 이르기까지 그 모든 노고가 영감과 전혀 관계없다는 생각은 하지 말기로 합시다.

여러분의 생각을 갈고닦읍시다. 마모되더라도 그렇게 계속 밀고 나갑시다. 영감은 여러분이 지치지 않고 앞으로 전진하는 에너지가 되어 줄 겁니다.

오늘은 여러분에게 영감을 주는 사람이나 물건 혹은 장면이 있다면 영감을 받은 어떤 순간, 그것에 대해 써 봅시다. 과거의 경험을 쓰는 것도 좋고 미래에 기대하는 일을 써보는 것도 좋습니다.

미션: 나에게 영감을 주는 사람 혹은 물건에 대하여 써봅니다.

미션 예시: 산책은 나의 힘

코로나19는 사람들의 낙을 앗아갔다. 그나마 나는 책을 읽고 글을 쓰는 정적인 취미를 가진 사람이기에 이런 상황에서도 평정심을 유지하며 행복한 나날을 보낸다. 만일 적극적이고 활동적인 사람이라면 어떨까? 밖에서 사람을 만나 함께 운동도 하고, 여행도 다니고, 체험을 하는 사람에게는 숨이 턱턱 막히는 형벌을 받는 셈이다. 나 같은 사람도 휴가를 내고 여행이라도 다녀오고 싶은데 다른 사람들은 오죽할까.

이런 나에게 유일한 동적인 활동은 산책이다. 날씨가 더워서 저녁에 주로 나간다. 저녁을 간단히 먹고 8시가 되면 집을 나선다. 해가 길어져서 8시가 되어도 어둡지 않다. 적당히 밝지도 적당히 어둡지도 않은 시간, 아주 덥지도 않고 약간의 선선한 바람까지 나를 반기는 시간이다.

오디오북을 들으며 자연과 대화를 나눈다. 오디오북에도 감사하다. 코로나19를 슬기롭게 극복하는 데 도움을 주는 친구다. 갑자기 놓친 일도 생각나고, 빠뜨린 일과도 떠올린다. 가장 중요한 글감도 산책으로 결정한다. 하루에 한 시간 산책은 나에게 활력소이자 영감 발전소라 아무리 바빠도 우선순위 1위의 중요한 업무다.

37일. 늘 되풀이 하는 실수가 있다면?!

완벽주의는 당신을 앞으로 나아가지 못하게 하는 걸림돌이다. 그것은 세부적인 것에 얽매여 꼼짝 못 하게 만들고 전체를 보는 안목을 잃어버리게 만드는 올가미이며 강박적이고 폐쇄적인 시스템이다. 자유롭게 작업하고 모든 것을 끝낸 후에 실수가 자연스럽게 드러나도록 하는 대신, 우리는 세세한 것에만 집착해 전전긍긍한다. 우리는 자신의 독창성을 열정이나 자발성이 없는 획일적인 것으로 고치려 한다. 재즈 연주자 마일스 데이비스는 이렇게 말했다. "실수를 두려워하지 말라. 거기엔 아무것도 없다."

– 『아티스트 웨이』 중에서

역사적으로 위대한 인물은 실수를 저질렀지만 그것을 만회하고 성찰하는 시간을 반드시 가졌다고 합니다. 그 과정에서 개인이 성장하게 됩니다.

오늘의 주제는 실수입니다. 실수는 조심하지 않아서 생기는 흔히 잘못해서 발생하는 행위라고 사전에 친절하게 설명되어 있습니다.

여러분 일상에서 자주 실수에 빠지는 편인가요? 실수 때문에 자괴감에 빠지거나 자책을 자주 하는 편이죠? 흐음, 그렇지 않은 사람은 거의 없겠지만 주변에서 실수 해놓고도 그것에 무감각한 사람도 가끔 보긴 합니다.

며칠 전 일이었어요. 새벽에 일찍 회사에 도착해서 에스프레소 한 잔을 머신에서 내려놓고 냉장고로 곧바로 갔죠. 냉장고에 왜 가려고 했겠어요. 얼음 꺼내려고 간 거였죠. 아무튼 냉장고 앞에 가니 뭔가 일이 잘못되어 가고 있다는 걸 곧바로 직감하고 말았죠. 냉동실 문이 열려 있더라고요. 안에 든 얼음과 아이스바? 이런 것들이 모두 녹아버려서 안에 물이 출렁출렁하고 있었어요. 누군지 모르지만 냉동실에서 초코바를 꺼내 먹고 문을 무신경하게 내버려뒀다는 얘기였죠. 명백한 실수였고 그 실수는 같은 사람이 벌써 여러 번 반복한 일이었어요.

하지만 저는 실수를 저지른 사람이 누군지 알았지만 그 사람을 지목하지도 책망하지도 않았어요. 실수를 본질적으로 느끼지 못하는 사람은 개선될 가망성도 없을뿐더러, 그런 실수를 지적하는 일을 워낙에 싫어하는 타입이 바로 저니까요.

그렇게 생각해 보면 실수란 무신경한 마음탓에 생긴다고

믿어요. 그리고 내가 실수를 한 상황을 인지하지 못하면 그 다음에 같은 실수를 반복하게 될 확률도 더 올라가는 것 같고요.

실수하지 않으려면 말입니다. 가장 좋은 방법은 행동하지 않는 거죠. 찝찝한 구석이 있다면 아예 일상에서 동작을 멈춰버리는 겁니다. 그러면 그 어떠한 실수도 절대 나오지 않을 겁니다. 하지만 그렇게 살 수는 없겠죠. 우리는 살아야 하고, 또 일해야 하고 사람과 관계를 맺으며 살아가야 하니까요. 그 사이에서 수많은 실수가 태어나고 소멸하겠죠. 물론 모든 실수를 복기하고 점검하고 성찰하기는 힘들 겁니다. 다만 실수가 나쁜 습관을 생산할 수도 있으니 내가 벌인 실수를 인지하고 같은 실수를 반복하지 않도록 만드는 건 노력의 영역이죠. 행동의 영역이기도 하고요.

그리고 실수가 의욕을 상실하게 해서도 안 되겠죠. 실수 없이 얻어지는 결과는 없으니까요. 우리의 현재는 수없이 많은 실수의 토대 위에 세워졌을 테니까요.

오늘은 여러분의 실수담을 들려주셔도 좋습니다. 혹은 실수할 때마다 그 상황을 어떻게 받아들이는지 어떻게 개선하려고, 그러니까 실수를 줄이려고 노력하는지 여러분의 태도를 보여주세요.

여러분의 실수, 그 실수를 어떻게 개선할지 그 경험에서 나는 무엇을 얻었는지 이런 것들을 떠올려 보시기 바랍니다.

미션: 여러분은 타인이나 자신의 실수에 너그러운가요? 실수와 관련해 여러분의 생각을 들려주세요.

미션 예시: 실수에 유연하게 대처하는 자세

저는 옳고 그름에 집착하는 사람이었습니다. 모든 것의 시시비비를 가렸습니다. 오타를 발견하면 출판사에 메일을 보내 알려줬고, 대화 중에도 상대가 실수로 잘못 말하면 고쳐줬습니다. 개발자 시절, 누군가가 잘못 알고 있는 걸 발견하면 매뉴얼을 찾아서 짚어줬습니다. 제가 정의의 사도라도 되는 줄 알았죠. 오지랖이 넘쳐 알려주지 않으면 상대는 평생 모르고 살까 봐 걱정했기 때문입니다. (너나 잘하세요)

관심과 애정을 가지고 상대에게 알려준 것인데, 뭔가 싸한 분위기가 감돌더군요. 그래서 더 이상 알려주지 않기로 했습니다. 상대가 잘 못해도 잘한다, 잘한다 칭찬하니 오히려 관계가 더 좋아지더군요.

반면, 저의 사소한 실수는 용납하기 어려웠습니다. 남보다

두 배로 비난과 자책을 했습니다. 두 번 다시 같은 실수를 반복하지 않으려고 노력했어요. 몇 년 전 퇴근하고 대학원 수업을 들으러 학교로 가는 길이었습니다. 급한 마음에 앞자리 번호만 보고 버스를 탔어요. 몇 정거장 가다 보니 버스가 전혀 다른 방향으로 가더군요. 바로 내려 택시를 타서 지각은 면했지만 멍청하고 꼼꼼하지 못한 저의 행동을 몇 달 동안 비난했습니다. 그 이후론 버스 번호를 꼭 한 번 더 확인하고 승차합니다. 이런 사소한 실수를 아직도 기억할 만큼 자책했습니다. (정말 피곤한 인생이지요.)

이메일을 보낼 때도 자주 실수합니다. 보낸 메일을 다시금 읽으며 얼굴을 붉힙니다. 보내기 전에 더 읽으면 될 일을, 늘 보내고 나서 다시 읽으며 후회합니다. 빨리 이메일을 보내야 한다는 강박 때문입니다. 여유가 있을 때는 꼭 몇 번 더 읽어보는데 말이죠. 틀리면 안 된다는 신념, 빠르게 해야 한다는 강박, 이런 게 저를 옥죄어 왔고 그렇게 살아왔습니다.

다행히 다른 사람을 지적하는 일은 오래전에 멈추었습니다. 습관적으로 정신줄을 놓으면 본성으로 돌아가는 때가 가끔 있지만요. 또한 자책하지 않으려 노력했습니다. 세상에는 완벽이라는 건 없고 특히, 제 실수를 아는 사람은 저밖에 없는 경우가 많더군요. 다른 사람들은 생각보다 제 행동에 그닥 관심이 없으니까요. 제가 눈 한 번 질끈 감으면 아무 일도 없었다는 듯 지나가더라고요. 그나마 블로그나 브런치는 발행한 글을 수정할 수 있어서 다행이죠.

계속 자책을 줄이려 노력하는 과정에 있다고 생각했는데요. 최근 실수를 하고도 아주 편한 마음으로 '그럴 수도 있지'하며 얼른 수습하는 저를 알아차렸습니다. 내글빛에서 링크를 잘못 넣어 모르고 있다가, 문우가 알려줘서 고쳤고요. 나찾글에서 피드백 메모를 잘못 복사해서 엉뚱한 사람의 것을 넣어주었다가 제보로 고쳤어요. 예전 같으면 얼굴이 화끈거리고 심장도 벌렁거렸을 텐데요. 너무나도 평화로운 제가 뻔뻔스럽다고 느껴질 정도였습니다. '인간미'라는 새로운 가면 아래 살짝 쉬어 갑니다.

뻔뻔스러운 게 아니라 세상에 실수하지 않는 사람은 없으니 있는 그대로 저를 받아들여야 할 것입니다. 인간은 실수를 저지르는 존재라는 걸 인정해야 합니다. 그게 타인이든 자신이든 실수 없이 성장은 없어요. 실수투성이 속에서 진주를 품어, 키워내고, 그 진주가 빛을 발할 때까지 오늘도 저는 걸어갑니다.

38일. 갑자기, 돈 100만 원이 생긴다면?

어느 날 갑자기, 하늘에서 툭 하고 돈다발이 떨어졌습니다.

100만 원은 얼마나 묵직한 소리를 내며 떨어졌을까요? 만 원짜리 100장이라면 다발이라고 표현하겠지만, 5만 원짜리 20장이라면 다발이라고 부르기에는 뭔가 부끄럽습니다만… 어쨌든 100만 원이 생겼어요.

현금이든 통장으로 이체된 것이든 상관없습니다. 여러분에게 100만 원이 생겼다는 게 중요한 거죠.

100만 원은 여러분에게 어떤 의미입니까? 충분히 만족스럽습니까? 아니면 천만 원은 되어야 그래도 쓸만한 느낌입니까? 돈을 대하는 여러분의 태도가 참 궁금합니다.

100만 원은 전적으로 여러분을 위한 하늘의 선물입니다. 일과삶이 100만 원을 드렸으면 얼마나 좋았겠습니다만, 저도 먹고살기 힘들어서 그런 이벤트는 아마도 영원히 불가능할 것 같습니다. 양해 부탁드립니다.

다시, 돈으로 돌아와서, 자, 그 돈을 앞으로 어떤 선택을 하시렵니까? 남편이나 아내에겐 역시 비밀입니다. 돈은 혼자 쓸 때 역시 가장 즐겁지요.

하지만 이런 제약을 굳이 만들지 않아도 되겠습니다. 내

수중에 마음대로 쓸 수 있는 100만 원이 생겼다. 그 돈으로 앞으로 무엇을 할 것인가, 그게 중요하니까요.

내 돈이 아니니까, 주인을 찾아줘야겠다, 이런 계몽적인 의식 혹은 시민의식은 버립시다.

지금은 여러분이 중요하니까요. 자, 여러분의 계획을 보여주세요. 어떤 용도로 어떻게 100만 원을 소진하시겠습니까?

그냥 100만 원을 쓰는 조건이라면 재미가 없으니까. 단 하루에 100만 원을 모두 써야 하는 것으로 설정해 보겠습니다. 못 쓰면 날아가 버리는 것으로.

여러분의 플랜을 들려주세요. 어디에 어떻게 쓸 것인지, 지출 분야를 구체적으로 보여주세요. 단 하루 동안입니다. 전략적으로 돈을 써볼 기회입니다.

오늘은 돈 버는 일을 잠시 중단하고 돈을 좀 써봅시다. 물론 실제로 100만 원을 쓰라는 이야기는 아니니까 현실과 망상을 혼동하지 마시기 바랍니다.

미션: 100만원을 사용할 플랜을 들려주세요. 어디에 어떻게 쓸 것인지, 지출 분야를 구체적으로 보여주세요.

미션 예시:

하루 만에 써야 할 돈 100만 원, 사용하지 않으면 사라진다는 전제가 있으므로 충전이나 선불카드 구매는 안 된다는 의미다.

내가 못 하는 게 많은데 그중 하나가 돈 쓰는 거다. 어릴 때부터 근검절약하는 부모님께 배웠고 특히 나를 위해 돈 쓰는 게 익숙하지 않다. 용돈을 받으면 안 쓰고 모았다가 부모님께 선물로 드렸다. 기껏해야 고르고 골라 책 몇 권 사는 정도였다. 특히 사고 싶은 것도, 먹고 싶은 것도 없었다. 그렇다고 내가 풍족한 삶을 누린 건 절대 아니다. 이런 습관이 굳어져 나이 들어서도 돈을 제대로 쓰지 못했다.

나보다 아이가 먼저였고, 철없이 돈 쓰는 남편과 다투기도 했다. 다른 사람에게 돈을 잘 쓰는 사람이 부럽기도 했다. 소심해서 "내가 살게. 내가 쏠게." 이런 말도 못 했다. 겨우 이 정도 사면서 '쏜다'는 표현을 쓰기가 부끄러웠다. 도저히 이래선 안 되겠다 싶어서 매월 나에게 10만 원을 선물했다. 그 돈은 순전히 다른 사람에게 밥을 사는 용도로만 사용하리라 마음먹었다. 쓰든 안 쓰든 가계부에서 무조건 10만 원을 지출로 잡았다. 코로나19 때문에 그 돈을 안 쓴 지도 오래다.

100만 원의 공돈이 생긴다면 우선 YES24 사이트에서 20만 원어치 책을 사겠다. 도서관에서 빌려보려고 마음먹은 책에게 인심을 쓰련다. 가족과 식사도 해야지. 가족 회식으로 소고기를 먹어본 적이 없으니 한우로다가 배부르게 먹으려면 30만 원 정도 들려나. 아 우리끼리만 먹기 아쉬우니 가족과는 점심으로 먹고 저녁에는 부산에 가서 부모님과 먹어야겠다. 부산 왕복 기차비 10만 원에 부모님과 한우 20만 원 벌써 80만 원을 썼다. 나머지 20만 원은 부모님 필요한 것을 사드리겠다. 평소 잘 방문도, 챙겨드리지도 못하니 이참에 건강식품을 사드려야겠다.

  정리하면 책 20만 원, 기차비 10만 원, 부모님 포함 가족 식사 50만 원, 부모님 건강식품 20만 원 총 100만 원이다. 온전히 나를 위해 20만 원을 쓴 것만으로도 셀프 칭찬하고 싶다.

39일. 문장 패러디하고 이어서 쓰기

"이젠 그림이 수채화처럼 보이기 시작한다." 『반 고흐, 영혼의 편지』48페이지의 문장입니다.

여러분 그런 순간 경험해 보셨나요? 내가 매일 반복하던 일이 어느 분기점을 계기로 완전히 다른 세상처럼 느껴지는 경험요.

그 일이라는 건 기약 없이 꾸준하게 진행하던 것들이겠죠? 그림 그리기, 글쓰기, 악기 배우기처럼 한 분야의 전문가가 되는 고된 경험 말이에요.

매일 반복하는 일이 어제와 똑같다면 우린 계속 정체되어 있겠죠. 같은 자리에 머물고 말겠죠. 영원히… 하지만 그렇게 되고 싶은 사람은 아무도 없을 거예요. 그렇죠? 여러분도 고흐처럼 그림이 수채화처럼 보이는 그런 감격스러운 순간을 맛보고 싶죠?

저는 믿음의 영역이라고 생각하지 않아요 이 부분에 대해선. 확고한 생각이 있다면 그건 자기 의심을 버리고 고흐처럼 당장 들판으로 나가 무엇이든 그리는 거라고 봐요. 그러니까 실행의 영역인 거죠. 그림이 수채화로 보인다는 건. 비가 오건 폭풍이 몰아닥치건 불평불만은 봉합해 버리고 나가서 뛰어들고 열중하는 거죠. 고흐처럼 미치도록 말이죠.

저는 그래서 고흐의 이 문장 "이젠 그림이 수채화처럼 보이기 시작한다." 이 문장에 깊이 빠질 수밖에 없었어요. 책을 덮어도 계속 문장이 떠올랐죠. 그리고 이것을 저에게 적용시키려고 계속 생각했어요.

오늘의 미션은 패러디에요. "이젠 그림이 수채화처럼 보이기 시작한다." 여기서 그림과 수채화 두 단어를 여러분의 것으로 치환해 보세요. 그리고 그 한 문장에서 이어 나가는 글을 써보세요. 한 줄 패러디하고 그 패러디 문장에 이어 쓰는 게 오늘의 미션입니다.

미션: "이젠 그림이 수채화처럼 보이기 시작한다." 여기서 그림과 수채화 두 단어를 여러분의 것으로 치환해 보세요. 그리고 그 한 문장에서 이어 나가는 글을 써보세요.

미션 예시: 이젠 글이 글을 쓴 사람처럼 보이기 시작한다

새삼스레 최근에 느낀 경험은 아니다. 첫 글쓰기 수업에서 알게 되었다. 분명 한 번도 만난 적이 없는 사람인데 문우의 글을 읽으면 그 사람이 어떤 사람인지, 누가 쓴 글인지 알

수 있었다. 매번 주제가 바뀌어도 글은 "나 잡아봐라~"라며 글쓴이가 누군지 알려줬다. 모두가 신기해하며 무기명으로 글을 올린 후 글쓴이를 맞추는 게임까지 진행해 봤다. 가끔 틀리기도 했지만 대부분 글쓴이를 알아 맞추었다.

같은 주제의 글을 써도 각자 선택하는 어휘가 다르고, 펼치는 스타일이 다르기 때문에 숨기려 해도 글에 개성이 묻어난다.

내 글을 오래 읽은 독자는 내 이름이 가려진 글을 보고 글쓴이가 나라는 것을 알 수 있을지 궁금하다. 관심의 차이겠지만 분명 제대로 읽었다면 바로 알아차릴 거다.

이젠 글이 글을 쓴 사람처럼 보이기 시작한다.

40일. 좋은 글을 쓰려면?

오늘의 주제는 글쓰기입니다. 물론 우리가 매일 조금씩 글을 쓰고 있지만 오늘은 조금 더 본질적인 이야기로 진입하려고 합니다.

좋은 글의 요건은 무엇일까요? 보통 우리는 작가의 필력을 이야기합니다. 필력의 바탕 그러니까 글의 힘은 어떻게 보여줄 수 있을까요? 독자들에게 말입니다. 필력의 위력을요.

여러분에게 좋은 글이란 무엇인가요? 저에게 좋은 글이란 제가 좋아하는 작가의 글이었습니다. 말하자면 좋은 글이 전달하는 뉘앙스가

지극히 추상적이면서도 말로 설명이 곤란하니, 다른 작가의 글로서 좋은 글의 설명을 대체하는 거죠.

저는 그렇게 이병률, 김영하, 한강, 유시민, 하루키의 글이 좋은 글이라고 생각했습니다. 물론 지금도 그 생각엔 변함이 없습니다. 한 명의 작가를 좋아한다는 것, 그의 글을 좋은 글이라고 생각한다는 것은 그 작가의 일생과 함께하는 일 같아요. 그의 변화에 나도 동참하는 거죠. 좋은 변화든

나쁜 변화든 상관없이 말이죠. 독자로서 함께 가는 겁니다.

어쨌거나 좋은 글의 기준이란 저에게 좋아하는 작가의 글이었습니다. 그러니까 그것은 작가의 고유 성향, 스타일, 서사적 구조, 인물의 생각과 행동, 문체, 일인칭 혹은 전지적 작가 시점의 사용 여부, 그런 것이었죠. 최종적으로는 그것을 따라 하는 일이었습니다. 하지만 의식적으로 따라 하지 않았습니다. 몸이 스스로 익히도록 기다려주는 일이었죠.

하지만 좋아하는 작가는 점점 변합니다. 세상엔 지금도 역사에 이름을 남길 작가들이 별처럼 계속 탄생하죠. 새로운 작가를 영접한다고 하여 그렇다고 누군가를 싫어하게 되는 건 아닙니다. 기준이 살짝 좌측에서 우측으로 바뀌는 그런 개념입니다. 목록에 이름이 하나 덧붙여지는 거죠.

그런 의미에서 저에게 좋은 글이란 좋아하는 작가의 글이며 특히 소설가들의 글이 큰 자리를 차지하게 됩니다.

좋은 글의 요건을 소설로 중점을 이루다 보니 인물의 성격과 그들이 꾸려나가는 이야기의 전개에 흥미를 갖게 글을 읽게 됩니다. 감정의 변화, 상황의 급격한 변화, 이유 있는 전개, 암시, 장치, 사건의 발단과 종결, 이런 부분을 총체적이고 유기적으로 끌어낸 글이 좋다고 생각하게 됩니다.

물론 세상에 좋은 글이라 판정하는 요건이 다양합니다. 맥락이 끊어지지 않고 시종일관 한 가지 주제에 깊이 몰입하도록 만드는 그런 조직감이 탄탄한 글이 좋다고 판단되기도 하고 울고 웃으며 사람의 감정을 뒤흔드는 글을 좋아하는 경우도 논리와 정보 측면에 따라 사람들이 모르던 미지의 영역을 알도록 만드는 지식이 담긴 글이 좋다고 여겨지기도 하죠.

어쩌면 좋은 글의 가장 중요한 여건은 콘텐츠 그 자체일지도 모르겠어요. 좋은 글 = 좋은 콘텐츠가 성립되는 거죠. 물론 맥락 있게 글을 쓰는 건 중요하겠죠. 그렇지만 더 중요한 것은 어떤 콘텐츠 어떤 개성적인 이야기를 남들에게 포장해서 보여줄 것인가, 그 부분이 가장 본질적으로 중요할지도 모릅니다.

오늘은 여러분이 생각하는 좋은 글의 요건 그리고 그 요건을 위해 여러분이 앞으로 기울여야 할 노력, 그 이야기들을 들려주셨으면 좋겠습니다.

그리고 좋은 글을 쓰기 위해 공부가 과연 필요할까, 그리고 얼마나 많은 자리를 차지해야 할까, 이 문제에 대해 생각해 보시는 것도 좋겠습니다. 저는 공부도 필요하지만 세상에 나아가 수없이 많은 살아 있는 경험을 하는 게 공부보다 더 중요하다고 생각하는 사람입니다만…

미션: 여러분이 생각하는 좋은 글의 요건 그리고 그 요건을 위해 여러분이 앞으로 기울여야 할 노력, 그 이야기들을 들려주세요.

미션 예시: 어떻게 하면 글을 잘 쓸까요?

"어떻게 하면 글을 잘 쓸까요?"

글쓰기 특강, 수업, 코칭에서 종종 이런 질문을 받습니다. 오늘은 이 질문과 관련해서 최근에 든 생각을 풀어보려고 합니다.

얼마 전 오디오북으로 에세이 한 권을 완독했습니다. 일 년에 책을 한 권씩 꼭 낸다는 전업 작가의 신간이었어요. 예전에 이 베셀 작가의 특강을 들은 적이 있어서 기대가 컸습니다. 너무 많은 것을 바랐을까요? 책 한 권의 분량을 채우기 위해 느슨하게 글을 썼다는 느낌을 받았습니다. 적어도 저는 그렇게 느꼈습니다. 글 한 편으로도 압축해서 쓸 수 있는 내용이라면 너무 가장된 표현일까요? 어쩌면 그 작가의 스타일일지도 모르겠습니다만.

우리의 인생은 고만고만해서 아무리 특별한 경험을 한다고 해도 수십 권의 책을 낼 만큼 다양한 경험을 하긴 힘들겠죠. 에세이스트의 한계일 수도 있고요. 그래서 작가들이 여행을 즐긴다고 하죠. 낯선 공간에 가면 생각지도 못한 경험을 하게 되고, 영감을 얻어 다채로운 글을 쓸 수 있으니까요.

하지만 우리는 전업 작가는 아니니까, 생활 글쓰기로 돌아가 보기로 하죠. 아니 언젠가 내 이름으로 된 책 한 권을 내고 싶은 예비작가의 입장에서 이야기해 볼까요? 최근 2년 동안 100편이 넘는 글 피드백을 제공했습니다. 구조적인 측면도 언급하지만 주로 예비작가의 판단에 맡기고 비문 혹은 어색한 표현을 주로 알려줬습니다. 글쓰기에는 정답이 없기에 그런 피드백조차 조심스러워요.

이번 주 4회에 걸친 '우리 아이 글쓰기 완전 정복' 수업을 마쳤어요. 아이들에게 일방적으로 글을 쓰라고 시키기보다 학부모가 직접 글을 써보고 글쓰기 지도 방향성을 찾아가는 과정입니다. 실제 학부모들이 글쓰기 지도에 필요한 칭찬과 격려, 재미를 위해 아이의 강점과 아이와 관련된 흥미로운 스토리를 글로 써오게 했습니다.

과제 글을 얼마나 써올지 걱정했는데 다행히 다섯 분 이상 써오셔서 낭독과 합평을 하고, 개인적으로 피드백을 드렸습니다. 문득 이런 생각이 들었습니다.

'글을 쓰는데 이런 스킬이 얼마나 중요할까?'

여기서 스킬이란 비문, 수동태, 영어적 표현, 동일한 단어의 반복, 추상적인 표현 등입니다. 사실 작정하고 공부하면 이런 것은 금세 따라잡고, 책을 낸다면 윤문 작업이나 에디터의 도움을 받기에 큰 문제가 되지 않거든요. 스킬은 그야말로 스킬이기에 조금만 시간과 노력만 투자하면 누구나 배울 수 있습니다.

더 중요한 건 진정성 있는 콘텐츠입니다. 스킬이 부족하더라도 진정성 있는 콘텐츠라면 독자들은 어색한 표현에 크게 신경 쓰지 않습니다. 맥락만으로도 진정성이 재빨리 다가오는데 어떻게 비문이 그 길을 막을까요? 그보다 더 중요한 게 있습니다. 눈치채셨나요? 사실 제가 글쓰기 특강에서도 몇 번 이야기 했던 말인데요.

"글을 잘 쓰고 싶다면 먼저 매력적인 사람이 되세요."

제가 읽었던 책에 실망한 이유는 진정성을 못 느껴서이고 나아가 작가가 매력적이지 않아서였습니다. 처음으로 글을 쓰는 학부모의 글에 감동한 이유는 사랑의 눈으로 아이를 바라보는 부모의 진정성이 느껴졌기 때문입니다. 따뜻한 시선으로 아이의 강점을 구체적으로 표현하고 아이와의 흥미로운 이야기를 신나게 글로 묘사한 학부모에게 매력을 느껴서겠죠?

저 역시 부족합니다. 진정성 있는 성찰을 제공하는 매력적인 작가가 되려고 오늘도 고군분투 중입니다. 진정성으로 가득한 책 한 권을 내기 위해 여러분은 어떤 사람이 되고 싶은가요? 여러분의 정체성은 무엇인가요?